Jean Teulé

Jean Teulé est l'auteur de treize romans, parmi lesquels, *Je, François Villon* a reçu le prix du récit biographique ; *Le Magasin des Suicides* a été traduit en dix-neuf langues. Son adaptation en film d'animation par Patrice Leconte sortira sur les écrans en 2012. *Darling* a été adapté au cinéma par Christine Carrière, avec, dans les rôles principaux, Marina Foïs et Guillaume Canet ; son roman *Les Lois de la gravité* a été adapté au théâtre par la Compagnie du Brasier et est en cours d'adaptation cinématographique par Jean-Paul Lilienfeld sous le titre *Arrêtez-moi !*, avec Miou-Miou et Sophie Marceau. *Le Montespan* (250 000 exemplaires), prix Maison de la Presse et Grand prix Palatine du roman historique, a été élu parmi les vingt meilleurs livres de l'année 2008 par le magazine *Le Point*. Son dernier roman, *Charly 9* (2011) est également un succès. La totalité de son œuvre romanesque est publiée aux éditions Julliard.

CHARLY 9

JEAN TEULÉ

CHARLY 9

Julliard

La papier de cet ouvrage est composé de fibres naturelles, renouvelables, reyclables et fabriquées à partir de bois provenant de forêts plantées et cultivées durablement pour la fabrication de ce papier

© Éditions Julliard, Paris, 2011

ISBN : 978-2-266-22015-6

1

— Un mort ?

Un gentil garçon semblant à peine sorti de l'adolescence – il vient d'avoir vingt-deux ans – écarquille ses grands yeux :

— Quoi ? Vouloir que j'ordonne, pour cette nuit, l'assassinat d'un convalescent surpris en plein sommeil ? Mais vous n'y pensez pas, ma mère ! Et puis quel homme, l'amiral de Coligny que j'appelle « mon père ». Jamais je ne scellerai cet édit !

Tout loyal, franc, ouvert du cœur et de la bouche, le garçon, à haute fraise blanche entourant sa gorge jusqu'au menton, s'étonne :

— Comment pouvez-vous venir me réclamer la mort de mon principal conseiller qui déjà hier matin, sortant du Louvre, fut arquebusé dans la rue par un tueur caché derrière du linge séchant à une fenêtre ?... Il n'est que blessé. Ambroise Paré dit qu'il s'en tirera et je m'en réjouis.

— Pas nous, répond une voix de matrone au fort accent italien. D'autant que c'est ton jeune frère et moi qui avions commandité l'attentat.

— Quoi ?!

Le garçon, d'un naturel aimable et ayant de bonnes

dispositions, n'en revient pas. Sous un bouquet de duvet de cygne à sa toque, il tourne lentement la tête vers les six personnages assis côte à côte devant lui. L'un d'eux, vieux gentilhomme vêtu d'une jupe de damas cramoisi, regrette :

— Sire, le seigneur de Maurevert, tueur professionnel mais mal habitué aux armes à feu, voulait faire ça à l'arbalète. Pour plus de sûreté, nous lui avons imposé l'arquebuse. Mal nous en a pris. Au moment du tir, Coligny s'est penché pour réajuster sa mule. Maurevert a manqué sa cible.

Le jeune roi aux joues arrondies hoche la tête d'un air consterné :

— Quand je pense que cet après-midi je suis allé rue de Béthisy, au chevet de l'amiral, lui promettre de faire rechercher et punir les coupables… C'étaient ma mère et mon frère !… Mais pourquoi avez-vous décidé ça, tous les deux, mamma ?

Mamma, assise juste en face de son rejeton royal, porte autour du cou une immense collerette tuyautée en façon de roue de carrosse. Couverte d'une poudre de riz parfumée, celle-ci enfarine le haut des manches bouillonnées d'une robe noire de veuve. Yeux globuleux et joues molles, les lèvres lippues de la reine mère remuent :

— Charles, écoute-moi… Gaspard Coligny de Châtillon, certes grand amiral de France mais aussi chef du parti protestant, a maintenant trop d'emprise sur toi. Et depuis des semaines, il te presse en secret d'intervenir aux Pays-Bas espagnols sous prétexte que Philippe II y opprime les huguenots.

10

— Comment le savez-vous puisque c'est en secret ?

— Je le sais. Je sais tout ce qui se dit au Louvre.

— Encore l'escadron volant de vos espionnes, magicienne florentine ?... sourit le doux roi indulgent.

Catherine de Médicis reprend : « Ton jeune frère Henri – *Mes Chers Yeux* – ... » Charles a un tic à la mâchoire tandis que sa mère poursuit : « ... ainsi que ton Conseil qui est ici, les Guise à la tête du parti catholique et moi, ne voulons pas de cette guerre. »

— Mère, si des protestants sont maltraités quelque part, il faut sans doute aller les défendre.

— Eh bien non, il ne faut pas !

Elle s'explique :

— Lutter en Flandre contre la très dévote Espagne reviendrait à engager la France du côté des huguenots et à s'attirer la colère du pape.

L'imposante Italienne secoue un éventail à girouette – bâton au bout duquel est collé un petit drapeau fixe décoré de fleurs de lys et qui fait du vent :

— Ma ! Quelle chaleur encore à bientôt dix heures du soir... En tout cas, avant-hier jeudi, au chef protestant, tu as chuchoté que tu prendrais ta décision d'ici lundi.

— Vos espionnes ont l'ouïe fine... reconnaît le roi Charles.

— Tu allais céder à ce Coligny. J'en suis certaine. Alors oui, on a tenté de l'abattre afin qu'il ne te soit plus de mauvais conseil. Mais ça a raté alors on vient te demander l'autorisation de recommencer cette nuit même.

— En voilà bien, tout d'un coup, des scrupules, mamma ! s'amuse le monarque. Vous étiez moins embarrassée, hier vendredi, quand Maurevert avait le doigt sur la gâchette.

— C'est-à-dire que… hésite *mamma*, pour ce qu'on veut dorénavant accomplir, il nous faut obligatoirement ton autorisation qui a force de loi. Quand Coligny, cette fois-ci, sera exterminé à la hache, il faudrait ensuite aller égorger La Rochefoucauld.

— Foucauld, mon ami ? Lui aussi ?…

— … Deux morts ?

— Enfin, deux… balance en l'air, du plat de la main, un maréchal en uniforme. Un peu plus, Majesté… car on devra également cogner à l'huis de chez Andelot afin de l'éventrer comme on le fera dans la foulée, pendant qu'on y est, pour quelques autres… Disons les grands chefs protestants. En tout, on devrait arriver à six.

— Six morts ?

Près d'une petite table dans ce cabinet aux poutres dorées et murs alourdis d'allégories alambiquées, le monarque dilate ses pupilles naïves vers le maréchal :

— Mais, sieur de Tavannes, je croyais que, lundi, on avait marié ma catholique sœur Marguerite avec le protestant Henri de Navarre en signe de réconciliation entre les deux religions… Et en fait, ce samedi soir, vous voudriez faire tuer les chefs huguenots venus de la France entière pour assister à la noce ?

— Ben justement, réagit à la gauche du maréchal un gros duc empoudré et encombré de dentelles aux nœuds savants. On s'est dit que, puisque toute l'aristocratie protestante se retrouve providentiellement réunie à Paris, ce serait quand même dommage de ne pas en profiter...

Le garde des Sceaux, écharpe brodée en travers du buste, partage cet avis :

— Nevers a bien raison, Sire. Si vous voulez, c'est comme une opportunité... poursuit-il d'un air léger. Pouvoir en une nuit couper toutes les têtes du dragon de l'hérésie est une chance qu'on ne retrouvera pas de sitôt. Ils sont là. On en tue dix et c'est réglé.

— Dix, René de Birague ? J'avais entendu six.

— Oui, oh, six, dix... Vous chipotez, Majesté ! commente le capitaine de la première compagnie des gentilshommes de la Maison du roi. En tout cas, Sire, pas plus de cent.

— Cent morts ?

Charles, bouche bée, balaie du regard son Conseil aligné. Il en arrive à sa mère qui ne dit rien.

Bras droit accoudé à sa table envahie d'une arbalète et d'un cor de chasse sur des recueils de poésies, d'un filet pour attraper les oiseaux près d'une sonnette à rapace, le jeune roi ne comprend plus rien. Tout l'étonne. Alors que, près du mur, le capitaine s'adresse malignement à lui en termes de chasseur : « Nous tenons la bête dans les toiles. Hâtez-moi d'envoyer les piquiers », Charles contemple derrière le soldat une tapisserie où l'on voit un cerf qui a un œil bleu. Le roi ne l'avait jamais remarqué. Encore un drôle de truc, ça ! Le souverain se lève.

Grand, mince et étroit d'épaules, ses longues jambes moulées dans des bas blancs vont sur les carreaux de faïence fleurdelisés du sol qui résonne du choc de ses éperons en forme de col-de-cygne avec une étoile roulante au bout. Descendant à mi-cuisse, sa « trousse » bouffante ressemble à une couche-culotte alors qu'il s'approche de l'intrigante tapisserie.

On peut y admirer un dix-cors bousculé par cinq chiens et même une chienne sautés ensemble sur lui. Un limier lui mord une oreille. D'autres le prennent à la gorge, fouillent vers son ventre, son cœur. Et le cervidé, cinq andouillers sur chacun des bois – à sept ans, c'est jeune pour vivre ça –, lève, de profil, sa tête aux abois vers les nuages. Il a un œil bleu.

À hauteur de visage du monarque, l'iris tissé est gratté. Charles observe ensuite les particules de laine bleue restées sous son ongle : « Bizarre, ça. Un cerf a toujours l'œil noir... »

Le roi de France pivote :

— Jamais, je n'ordonnerai ce que vous me réclamez. J'aimerais mieux que mon corps soit traîné dans la boue des rues de Paris !

Cette déclaration solennelle se retrouve suivie d'un ricanement dans le cabinet du souverain :

— Je vous l'avais dit qu'il n'oserait pas. C'est un chapon-maubec !

Celui qui vient de s'exprimer est debout derrière la mère et les membres du Conseil, alors ils se retournent tous et lèvent la tête pour voir le roi venir postillonner dans la figure de l'insolent :

— Moi, poltron ? Henri, tu oses me dire ça, toi, le fot-en-cul !

C'est vrai que Henri a un genre... Menton ras, face pâle, geste efféminé, l'œil d'un Sardanapale, voilà tel qu'il paraît en ce bal. Garni bas et haut de roses et de nœuds, visage de blanc et de rouge empâté, une coiffe en forme de coquillage comme un gros bulot rose sur sa tête, font voir l'idée : en la place d'un prince, une putain fardée. La reine Catherine intervient en mère de famille :

— Charles, laisse donc ton jeune frère à ses goûts et cesse tes jeux réservés à l'enfance !

Mais le roi n'en démord pas :

— Cadet, n'oublie pas que tu n'es que duc d'Anjou !

L'autre, se hissant sur la pointe des pieds, car de plus petite taille, et rondelles d'os en boucles d'oreilles, rétorque :

— Qu'à Dieu plaise, si c'est moi qui avais eu un an de plus que toi et non le contraire, le Conseil royal n'aurait pas perdu autant de temps à me convaincre...

Catherine de Médicis – venin florentin – abonde en ce sens :

— Il est vrai, Charles, que Mes Chers Yeux aurait, sans hésiter, eu ce courage. Le connaissant, il aurait déjà deux fois fait passer par le fer les huguenots. Mais lui, c'est Mes Chers Yeux... Son ennemi, il ne l'appelle pas « Mon père ».

Le monarque sensible, grosses larmes gonflant ses paupières, réplique : « Je me demande parfois si ce n'est pas celle que j'appelle "Ma mère", mon enne-mie… », puis, alors que des chiens se mettent à gro-gner sous la table, Charles s'encolère après sa génitrice en la tutoyant : « Tu n'aimes que Henri ! Je passe mes jours à te l'entendre louer, à l'admirer. Je règne et c'est lui seul que tu chéris. » On sent qu'il souffre beaucoup de cette préférence en faveur d'un frère tellement plus italien, plus Médicis que lui : « Sur l'échiquier politique, je suis le roi mais Anjou et toi ne me considérez que comme un pion ! Tuer les chefs protestants invités à la noce… quelle félo-nie ! Qui de vous deux a conçu ce plan machiavéli-que ? »

Sur la table, il s'empare de l'arbalète qu'il lève :

— Et si je vous tirais à tous deux un carreau dans la tête ?

Henri se marre :

— Avec ton courage de brebis ?

Face à l'air hautain et dédaigneux du duc d'Anjou, le roi piteux dépose l'arme et retourne s'asseoir en son royal fauteuil trop large pour lui.

Quoique derrière son dos la fenêtre du cabinet soit grande ouverte sur Paris, oppressé par la moiteur étouffante de cet été – l'air est chaud et lourd, ça sent l'orage –, Charles déboutonne sa fraise et les boutons de nacre du col de sa chemise. Il respire longuement :

— Capitaine Gondi, vous dites cent morts… mais dans les rues où logent des Coligny, Foucauld, Ande-lot et autres, vivent des voisins, souvent protestants, qui entendraient des cris et accourraient au secours des victimes. Que feriez-vous à ces huguenots-là ?

— On les tuera.

— Certains ont des épouses que vous assassine-riez également j'imagine.

— Ah ben oui, quelques femmes aussi peut-être. On ne peut pas savoir.

— Il y aurait des vieillards…

— Ah ça, les vieillards, vous savez, Majesté, dans le noir, on ne voit pas trop l'âge non plus !

— … Et des enfants.

— Des enfants aussi, c'est possible. S'ils sont un peu trop à brailler, accrochés à la chemise de nuit de leur mère, je ne dis pas qu'il est inenvisageable que plusieurs reçoivent pareillement du fer.

Le roi blêmit et alors que le garde des Sceaux minimise : « Il s'agira quand même de pêcher surtout les gros saumons sans trop s'amuser aux gre-nouilles… », Charles poursuit ses comptes :

— Ah, mais ça ne ferait pas cent mais mille morts peut-être…

« Peut-être », reconnaît avec désinvolture le duc de Nevers. Tavannes acquiesce.

— Mille morts ?

Le monarque lance mille injures à tous ceux pré-sents dans son cabinet, les appelle assassins.

— Nous ne ferons qu'appliquer vos ordres, Altesse… plaisante le duc d'Anjou dans une profonde révérence de princesse.

Un lévrier s'approche de Charles, pose deux pattes sur ses genoux et lève la tête. Il ouvre sa large gueule et bâille tandis que le roi lui gratte gentiment la gorge en regrettant :

— Pourquoi luthériens et papistes ne parviennent-ils pas à danser ensemble ?

— Les réformés ne prient pas Dieu comme les catholiques, rappelle Nevers.

— Et alors ? Ne sont-ils point aussi des chrétiens ?

— Leur façon de s'habiller et de manger est étrange, souligne Birague. Ils ne font pas maigre le vendredi.

— Si c'est leur choix…

Gondi s'enflamme en se signant :

— Que périssent ces choix d'hérétiques ! Et que cette nuit, un roi béni du ciel ose enfin commander d'abattre sa foudre sur les ennemis.

— Oui, mais qui sont ces ennemis ? s'agace Charles. Des Mongols, des Chinois… ? Nous sommes tous du même royaume que je sache. Par des mains de Français, des Français immolés ?

— Dieu attend que vous fassiez la grande lessive, plaide le garde des Sceaux, et qu'à coups de dagues vous…

— Arrêtez ! le coupe Charles. Loin de moi cet avenir horrible. Votre Dieu m'échauffe, me presse, il accable mes sens. J'en ai assez de ce XVIe siècle aux guerres de religion continuelles…

— C'est le malheur des temps qu'il faut en accuser, glousse Anjou. Alors, je sais bien, tu me diras : « La guerre c'est pas beau, la pluie ça mouille et les hommes pourraient être tous des frères… » Ils sont très jolis tes rêves mais il y a aussi la réalité, ricane le cadet.

— De là à détruire tant d'humains… soupire l'aîné.

— Ce ne sont quand même que des protestants, relativise Nevers.

— Eux s'en prennent aux statues des saints, aux images pieuses, rappelle le maréchal. Et sur les dalles des cathédrales, de la semelle, ils écrasent l'hostie, symbole du désaccord passionnel sur la présence réelle du Christ.

— À Genève, cette anti-Rome, se plaint le duc, Calvin nommait notre religion « prostituée de Babylone ».

— La semaine dernière, se souvient Birague, des inconnus ont décapité une statue de la Vierge dans une chapelle parisienne.

Gondi raconte :

— À Cléry, les protestants ont saccagé les ossements du très dévot Louis XI et vous savez bien qu'à Orléans, ils ont brûlé le cœur de votre grand-père François Ier.

Les yeux de Charles, de conseiller en conseiller, vont de droite à gauche puis dans l'autre sens et recommencent. La tête lui tourne tandis que le garde des Sceaux surenchérit :

— Les protestants s'emparent de villes pour égorger les catholiques avant de les jeter dans un puits d'évêché. Rappelez-vous la « Michelade » de Nîmes !

— Vous faut-il un autre exemple, Sire ? demande Nevers. Le baron de Piles, vous le connaissez. Un sacré huguenot celui-là. Il s'est fait un collier d'oreilles de moines.

— Ah, ils ne sont pas raisonnables non plus, se désole le roi en repoussant doucement son grand chien.

Charles se sent profondément seul.

— Je veux que vous me contiez la chose. Comment cela se passerait-il ? Et sans feinteries ! précise le monarque de vingt-deux ans.

Suivant l'emplacement des membres du Conseil disposés en rang d'oignons, c'est au tour de Tavannes de commencer à relater ce qui est envisagé :

— Nous fermerons les portes des remparts de Paris afin que personne ne s'échappe...

La tête du souverain pivote un peu pour écouter Nevers poursuivre :

— On mettra l'ancre aux bateaux et tendra une chaîne en travers de la Seine afin qu'aucun ne puisse fuir par le fleuve.

— Vers deux heures du matin, prévient Birague, la grosse cloche de Saint-Germain-l'Auxerrois – la Marie – sonnera la bénédiction des poignards. Toutes les cloches de Paris lui répondront.

Le roi éberlué demande en retirant sa toque blanche pour s'éponger le front :

— Passé minuit, nous fêterons quel saint ? Ce sera...

— La Saint-Barthélemy, répond Gondi.

— Est-ce vous, capitaine, qui mèneriez les opérations ?

— Non, car je serai occupé au Louvre. Claude Marcel, personnage d'exécution et tout dévoué, en aura la charge.

Les cheveux du monarque se hérissent. :

— L'ex-prévôt des marchands ?! Ce guisard fanatique ? Mais c'est un catholique extrémiste !

Charles en a le souffle coupé :

— C'est au plus sanguinaire de la Ligue que vous avez pensé pour giboyer le protestant ?

Le garde des Sceaux justifie avec gourmandise :

— Au moins, comme ça, on se dit que ce sera bien fait…

« … pour eux ! » salive le duc tandis que le roi de France, paume contre la bouche, s'écœure :

— Cela dégénérerait en un hallucinant carnage collectif et vous le savez ! À l'intérieur des remparts, la population fanatisée par le clergé, réveillée par le tocsin et descendue dans la rue, massacrerait tout ce qui ne crie pas « Vive la messe ! ».

Le maréchal s'en régale d'avance :

— Claude Marcel nous a effectivement prévenus que c'est ce qu'il mijote. Sa milice est pourvue de mèches, poires à poudre garnies et balles de cuivre en quantité.

Nevers se pourlèche :

— À Marcel, nous avons déjà envoyé ce mandement : « Cette nuit, que dans chaque maison de catholique un homme, croix au chapeau, bras gauche entouré d'une écharpe blanche, se trouve armé et muni d'une torche derrière une fenêtre. La cloche donnera le signal et alors… »

« … À table ! » frappe des mains Birague tandis que le jeune roi en bégaie :

— Avec Marcel, nous passerions de mille à dix mi-mi-mi…

— Dix mille morts ?

— Voire vingt mille, pronostique le capitaine d'un air badin. Les fortes chaleurs, le manque d'eau potable, les fièvres et la cherté du pain due à la venue de nombreux protestants pour le mariage font que Paris catholique frétille. C'est une eau bénite qui va bouillir. Tout tournera à l'exorcisme général.

— Vingt mille morts ?

Catherine tapote une main d'Henri posée sur son épaule puis caresse ses doigts de fille. Charles regarde ce tableau touchant et tout dans sa tête devient d'un blanc d'implosion :

— Vous me demandez une chose si exécrable qu'elle ne fut jamais conçue par les plus barbares nations du monde...

Le garde des Sceaux, au contraire, s'exalte :

— Les rois seront éblouis par l'audace du jeune Charles IX tellement à l'opposé de leurs inutiles compromis à n'en plus finir !

— On me considérerait comme le plus méchant garçon qui naquit jamais et pire encore que Néron... cauchemarde Charles IX.

— La postérité vous admirera pour la grandeur de cet acte, promet le duc.

— Jamais cela ne pourrait sortir de la mémoire de l'humanité, jamais ! C'est une histoire qu'on raconterait plus tard pour faire peur aux petits enfants...

— Certes, nous y mettrons tant les mains à tort et à travers qu'il en restera souvenir de cette Saint-Barthélemy, reconnaît Tavannes.

Et la tête du roi, tournée à gauche, repart dans l'autre sens, poursuit ce saoulant va-et-vient d'essuie-glace en écoutant une rafale de conseils qui l'assomment littéralement :

« Majesté, réalisez cette nuit même le Jugement dernier », « Un roi, parfois, doit verser à longs flots le sang de ses sujets », « Éveillez-vous, frappez ! », « À Lépante, la victoire contre les Turcs nous dicte qu'après les musulmans il faut en finir avec les protestants », « Soyez, d'un amas d'aïeux prestigieux, l'éclat héréditaire », « Devenez cruel, roi sur la terre ! », « Sire, un mal violent veut un remède extrême. »

Girouette, la tête à tous vents de Sa Majesté ne sait plus que penser et se désole :

— Je ne voulais pas être roi. C'est mon frère aîné qui est mort trop tôt ! Je n'étais pas destiné à régner.

Anjou, lui, soupire de n'être à la place de Charles tout en massant les épaules de leur mère qui paraît en roucouler d'aise. Le monarque se lève !… et préfère aller, vers la fenêtre ouverte, observer la ville.

À gauche, un mur du château du Louvre. Devant, une place vide bordée, là-bas, de silencieuses maisons étroites à deux ou trois étages (toits pointus, colombages, portes gothiques). Dans beaucoup d'habitations, derrière une fenêtre, luit une flamme qui attend en vibrant.

— Ce serait…

Les toits s'étagent dans un lointain tout piqueté d'une multitude de clochers sous une nuit scintillante d'étoiles.

— Ce serait effroyable et dépasserait toute conception de l'horreur. On jetterait les gens à travers les vitres. Cela prendrait des proportions fantastiques. Ce serait…

« … Fait ! » rient ensemble sa mère et son frère

pour le ridiculiser. Charles juge que : « C'est impossible d'être aussi cruel. »

Allez, une main consolante se pose sur son épaule. Il croit que c'est celle de Catherine. Faut-il être bête, se dit-il quand il reconnaît la voix du vieux maréchal de France venu lui confier à l'oreille :

— C'est cruauté d'être humain et humanité d'être cruel…

Le monarque se retourne et revient s'asseoir près de la table. Il contemple les flambeaux, accrochés aux murs, qui éclairent son cabinet privé. L'un d'eux brûle derrière sa mère. Charles porte une main à son front comme une personne lasse. Il a maintenant à son visage marqué les tares héréditaires des Valois, les signes de dégénérescence d'une race de rois flétrie et exténuée :

— Et pour les huguenots du palais, seigneurs, artistes ou serviteurs, qu'avez-vous prévu ?

— Nous allons bientôt fermer les portes du Louvre, répond Catherine de Médicis, et on les tuera tous.

Charles hoche la tête :

— Tu as invité deux cents nobles protestants au palais et demain tu veux rassembler leurs cadavres dans la cour carrée ?

— Oui et on fera boire les Suisses pour qu'ils aient la main lourde.

Dos à la tapisserie au cervidé, le capitaine de la première compagnie des gentilshommes de la Maison du roi décrit tandis que le monarque tripote les mailles du filet de chasse aux alouettes près de lui :

— Nous allons, aussi dans le château, dénicher les oiseaux huguenots. Je commanderai personnellement aux archers d'aller les poursuivre dans les galeries, les escaliers, et de les traquer jusque dans leurs chambres pour les tuer sur place.

— Ce serait un abattoir, prévoit Charles IX.

Sa mère et son frère récitent l'un après l'autre :

— Il nous faut ces crimes...

— ... que tu réprimes.

— Diable de rime, commente le roi, tapotant ses ongles sur un recueil de Ronsard. Même dans nos murs le sang coulerait en ruisseaux. Il y en aurait partout de larges éclaboussures.

Il baisse la tête d'un air sombre :

— Tout à l'heure, je vais me retirer dans ma chambre et recevoir pour mon petit coucher les hommages également de seigneurs protestants. Que vais-je leur dire ? « Bonne nuit » ?

— Oui. Il ne faudra rien leur faire soupçonner.

— Et toi, mamma, quand tu sortiras de ce cabinet et en croiseras dans les galeries, que leur diras-tu ?

— Bonne nuit, messieurs de la Réforme. Je vais prier pour vous...

Pendant que debout près de l'imposante collerette de la reine mère, le cadet, passant maintenant d'une jambe sur l'autre, s'impatiente vraiment : « Bon, tu te décides ou quoi ?... », Charles déplore : « Que de morts encore en supplément. »

— Mais oui ! se débarrasse d'un geste son frère. Avec tous les domestiques et familiers du marié et de Condé, les nombreux débordements à prévoir, mettons si tu veux qu'on arrive à trente mille et alors ?

— Trente mille morts ?

25

— Vingt mille, trente mille... quelle est la différence ?

— La différence, Henri ? On voit bien que ce n'est pas toi qui vas mourir.

— Eh bien si ! explose le cadet. Si tu ne te décides pas maintenant, ce sont nous : ta femme Élisabeth d'Autriche, maman, Marguerite, notre autre frère Alençon, toi, et moi qui allons mourir dans quelques heures !

— Comment ça ?

— En fait, Altesse, on a oublié de vous dire un détail qui n'en est pas un, intervient Tavannes. En ce moment, rue de Béthisy, les huguenots rassemblés autour de Coligny font le même complot que nous.

— Pour quoi faire ?

— Égorger la famille royale.

— Hein ?

Nevers raconte :

— Bayancourt, espion de la Cour, et Gramont nous ont avertis de l'imminence d'une attaque du Louvre. Les protestants veulent s'emparer du palais et saigner la famille royale. Nous disposons de très peu de temps pour les devancer. Ce sera eux ou nous et on doit se décider tout de suite !

— Charles, tu les as autorisés à rassembler armes, munitions et rondaches, rappelle Anjou. Ils vont nous tuer !

Le doux monarque totalement hagard bredouille :

— Il faut quand même encore réfléchir... au moins jusqu'à demain...

— Hélas, aîné, demain peut-être il ne sera plus temps !

— Crevez, crevez les peaux de huguenots, Sire ! insiste Birague. La saignée est bonne au mois d'août. Ce n'est pas votre chirurgien Paré qui vous dira le contraire…

— Ambroise Paré, mais c'est un protestant ! s'affole Charles. Je veux qu'il soit épargné ! Envoyez-le quérir et qu'on l'enferme dans ma chambre lui commandant de n'en bouger. Il ne serait pas raisonnable que quelqu'un qui peut sauver tant de gens soit ainsi massacré.

— C'est vrai qu'il est en telle réputation de savoir que même les plus chauds catholiques ont recours à lui, concède Gondi. Il n'y aura eu finalement que la marquise de Boissière qui se soit laissée mourir plutôt que de devoir la vie à un huguenot…

— Et je veux qu'on sauve aussi Marie Touchet ! hurle le roi. Ma maîtresse protestante est si excellente en beauté et en caractère que je ne saurais me passer d'elle ! Qu'il ne lui soit fait aucun tort ni déplaisir ainsi qu'à ma protestante nourrice, madame Portail…

— Oui, bon, ben ça va !… s'énerve Catherine de Médicis. Si on doit épargner tout le monde, ce n'est même pas la peine de le faire !

— Les huguenots Navarre et Condé devront être protégés, reine Catherine, rappelle le garde des Sceaux, de par leur appartenance à la descendance de Saint Louis…

— À condition que ces princes de sang abjurent leur religion hérétique ! exige la reine mère. Et ce sera à toi, Charles, de les en sommer. Dague sous leur gorge, tu devras demander : « Mort ou messe ? »

— Et s'ils préfèrent les prêches ?

— Tu les tues.

— Ventre-de-loup ! jure le roi que cette perspective n'enchante pas du tout. C'est une chose que je ne pourrai faire.

La langue de Catherine claque, intransigeante, entre ses dents :

— Un roi peut ce qu'il veut ! Et maintenant tout est suspendu à ton ordre : on le fait ou on ne le fait pas ?

Charles IX ressent dans les oreilles un bourdonnement d'abeilles.

— Agis comme tu veux, mamma. C'est ta décision...

— Ma décision doit être légalisée par toi pour être applicable. C'est donc sur ton ordre seul qu'on peut agir. Dis : « Je le veux. »

Le roi se défend de plus en plus faiblement :

— Bon, bon... Ah non, jamais... oui, non, bon, oui, non...

Il cède en disant qu'il ne cédera pas.

— Allez, Majesté ! l'encourage Nevers. Et puis comme on dit, hein : « Au hasard de la fortune de Mars ! »

— Dis : « Je le veux », répète la mère, sinon moi, dès cette nuit, je trousse mon paquet et fuis vers l'Italie avec Mes Chers Yeux et toi, tu te débrouilles en France où tu n'auras même plus un village pour te retirer ! C'est ce que tu veux ?

— Non, mamma... pleurniche son fils fragile.

Catherine se lève devant le flambeau qui brûle derrière elle. Il faut la voir, à contre-jour en ce lustre ! Le jeune roi se trouve rejeté dans l'ombre gigantes-

que de sa mère, descendante de Laurent le Magnifique, qui lui lance :

— Alors dis : « Je le veux » si tu souhaites que je
reste.

— Je le veux… murmure Charles d'une voix à
peine audible.

— Hein, quoi ? J'entends pas !

— Je le veux.

— Tu veux quoi ?

— Que tu restes…

— Et puis ?… Et puis, Charles ?

— Et puis qu'on tue des protestants…

— Combien ?

— Plusieurs.

— Combien ?

— Beaucoup.

— Combien ?!

— Tous, tous ! Tuez-les tous ! se déchire Charles IX
en attrapant son filet de chasse aux alouettes. Les
hommes, les femmes, les enfants, les infirmes, les
vieillards… Mais tuez-les tous, tous ! Je ne veux
jamais voir un seul visage, entendre un jour une voix
qui me le reproche !

— Et… l'aide sa mère comme on fait à un petit
garçon apprenant sa leçon.

— Et donnez-y ordre promptement !

La mère se retourne. Sa collerette en roue de carrosse pivote. Un nuage de poudre de riz parfumée
s'envole. Sitôt tous dans le couloir, on entend crier :

— Le roi le commande ! C'est la volonté du roi !
C'est son commandement ! Le roi le veut ! Tuez-les
tous !

2

Dimanche 24 août 1572
(Saint-Barthélemy)

3

Mercredi 27 août.

— Quoi ? Quoi ?! Quoi ?...

C'est une rumeur sourde, un grondement qui roule, une clameur faite de milliers de voix qui voudraient savoir :

— Quoi ? Quoi ? Quoi ?...

Ce sont des plaintes, des exclamations, des vociférations, et des prières :

— Crois ! Crois ! Crois !

Ça hurle, gueule, mugit, rugit de partout, exige des comptes :

— Quoi ? Quoi ?...

Chacun de ces cris entre dans la tête, affolant, grinçant, telle une vrille :

— Quoi ?...

Le concert de voix gémit et hurle comme dimanche dernier lors de la nuit du massacre. Charles, au fond d'un lit de châtaignier à baldaquin, tourne en peur sous les draps. Les voix plaintives de la Saint-Barthélemy reviennent à ses oreilles.

— Quoi ?

Il se réveille, suffocant et en nage, tourmenté par le souvenir et des images de visages détruits, il se dit que, maintenant qu'il a les yeux grands ouverts, le lourd songe oppressif va se dissoudre, en tout cas il l'espère :

— Crois !

Mais le hideux cauchemar se poursuit. Une horreur glace les sens du roi car il entend toujours les cris et les pleurs des âmes de ses victimes ! Il pense à un prodige ou bien qu'en fait il dort sans doute encore. Il balaie du regard sa chambre vide, se tâte les poignets. C'est bien lui, éveillé, le pouls au galop. En chemise de nuit fendue, il se lève et, tenant une grande torche en feu, se dirige vers la fenêtre dont il entrouvre les lourds rideaux :

— Par les os de mon père !…

Le monarque découvre une infinité de corbeaux appuyés contre les pavillons du Louvre en chantier. Il y en a si grand nombre que c'est un épouvantement. Charles en saute sur place. C'est une tourbe grouillante, un immense tas confus, et tout le palais semble une masse ondulante de plumes noires. Les oiseaux sont perchés sur les toits, les échafaudages, les rebords des étages et des fenêtres, les cariatides qui illustrent les façades. On dirait que ces statues respirent. La nauséeuse vision flottante soulève le cœur. Quand les corbeaux s'envolent en bancs énormes à la verticale du château, leurs ombres tourbillonnent en cyclone dans l'extase aboyant de cris : « Croa ! Croa ! », de plaintes : « Côaaa ? » Ces silhouettes croassantes se heurtent, vocifèrent et tout cela ne forme qu'une voix où il y a du mugissement d'océan… Les corbeaux se reposent en nuée sur les toits du Louvre entourant la cour carrée. De là, ils plongent par vagues et l'on a le sentiment chaque fois que c'est un bâtiment qui se désagrège.

Les charognards courent aux morts vers un pavage qu'on ne distingue pas depuis la chambre de la tour du roi. Ils doivent s'égayer dans tant d'hémoglobine et se jouer de tellement de proies qu'ils remontent, tous, emportant des bouts de chairs écarlates. Le ciel fume alors de sang et d'âmes. Et ça gueule, ces becs qui avalent des lambeaux de peaux humaines secoués avec avidité :

— Croa ! Croa ! Croa !...

Voici donc des parcelles d'humains qui n'ont plus de voix que des cris d'oiseaux vers les nues. Les pupilles de Charles se dilatent quand un choucas se jette à la vitre de sa fenêtre pour tenter de lui crever les deux yeux. Les ailes déployées des corbeaux ressemblent à des mains et leurs longues plumes paraissent être des doigts tendus vers un secours. Mais le ciel ne réplique aux haros que par le halo d'un effroyable demi-jour qui se lève et va grandir encore.

4

Les corbeaux en allés et les étoiles effacées par la splendeur du soleil, trois soldats – un archer, un garde, un Suisse – parlent ensemble en haut d'un escalier fort étroit aux marches usées et inégales qui manquent de faire tomber. Là où s'arrête la rampe, devant une porte en ogive dont ils interdisent l'accès, ils discutent de la pluie, du beau temps. La cuirasse du garde scintille :

— L'été, habillé de fer au soleil, ce n'est pas tenable. Sur le pont-levis face au quartier de Saint-Germain-l'Auxerrois, à midi, des hommes d'armes meurent cuits dans leur armure.

Le Suisse acquiesce avec compassion en remuant le boudin circulaire autour de son front orné d'un gigantesque panache – bouquet de plumes de héron. Ils entendent monter des pas. L'archer bande son arc :

— Qui vive ? Arrêtez court ! Ne grimpez davantage !

Le garde, soldat qui embroche bien son prochain, confirme en tirant l'épée :

— Qu'homme n'avance s'il ne veut mourir !

Le Suisse met en joue une arquebuse :

— Feu sur qui bouge !

— C'est nous ! annonce une voix. La comtesse d'Arenberg guidant Élisabeth d'Autriche…

— Seule l'épouse du roi peut monter ! répond l'archer. Vous, comtesse, restez en bas.

Mais on entend les lourds pas d'Arenberg continuer de gravir l'escalier en justifiant :

— Ah oui ? Alors comment la reine de France qui parle allemand et latin mais pas un mot de français converserait avec son mari si je n'étais pas là pour traduire ?

Les trois soldats se regardent et baissent les armes. Celui qui est en armure glisse l'épée dans son fourreau en prévenant :

— Gare aux dernières marches. Les valets ne sont pas encore montés jusqu'ici pour laver les pierres rougies. Elles sont poisseuses sous la semelle.

« J'ai le pied marin ! » se vante la grosse traductrice arrivant sur le palier tandis qu'Élisabeth la suit, trempant au sang le bas de sa robe. À l'entrée d'une longue courtine à découvert et en chantier lancée vers le fleuve, le soleil pose sur sa tête un baiser.

Au sommet du Louvre d'aspect encore très féodal – donjon, tourelles, échauguettes, remparts épais –, la reine passe entre les gardes dans l'éclat roux de ses dix-huit ans.

Cette frêle beauté, aux cheveux enfermés dans une bourse cousue de perles, a des candeurs de cygne, un charme délicat, une douceur du regard pour son mari qu'elle aperçoit là-bas. Se dirigeant vers lui, l'allure de son corps déroule ses impeccables accords.

Charles, vu de dos, semble un sage qui médite devant un œil-de-bœuf donnant sur la Seine. Tête nue coiffée à la mode de son temps – cheveux courts dressés couverts d'une poudre violette –, le jeune homme élancé comme un peuplier se retourne. Ses bottines pivotent dans le sang des amis.

Grisé et hagard, il voit venir celle qui semble n'avoir jamais causé de tort à personne, ni eu un geste offensant pour quiconque. Il la contemple dans son décolleté de forme carrée couvert par un tissu léger. Sa robe fendue sur le devant laisse apercevoir, par une ouverture triangulaire qui s'écarte jusqu'au sol, la cotte de dessous très bondée car Élisabeth accouchera dans deux mois. La reine de France s'approche de celui qui sera bientôt père tandis que la comtesse, regardant par l'œil-de-bœuf, s'exclame :

— Par le sambre guoy de bois ! Corpe de galline ! Vertus d'autre que d'un petit poisson !

Élisabeth observe à son tour :

— *Teufel !* lâche-t-elle en allemand.

— Qu'est-ce qu'elle a dit ? demande Charles à Arenberg.

En guise de traduction, la comtesse vomit contre un mur de planches. Il faut dire que, par l'oculus, Paris n'est pas beau à voir. La ville est gaie comme un cimetière et la Seine rouge charrie plus de cadavres que de glaçons après le dégel. L'eau couverte d'humains paraît tenir davantage de sang que d'eau. Des enfants ont pour jeu un passe-temps étrange. Ils s'amusent à traverser le fleuve à pied, sautant de corps en corps sur les ventres gonflés. Des centaines de cadavres jonchent aussi le quai. Une procession de prêtres traverse le champ de carnage aux cris de : « Vive la messe ! Mort aux parpaillots !… » À Élisabeth dont les yeux s'étonnent de voir les victimes sans habits, Charles explique :

— Ils dormaient lorsqu'ils furent assassinés et on a volé leurs vêtements.

La reine ne comprend rien à la réponse – barrière de la langue. Elle se tait, regarde son mari intensément. Un beau mulet arrive sous un saule en pleurs, tout chargé de hottes de chiffonniers pleines de nourrissons égorgés. Ce sont des petits huguenots que des femmes jettent en Seine pour qu'ils aillent à Rouen, par voie d'eau, porter des nouvelles… Les spectateurs en crèvent de rire. Élisabeth, une main sur le ventre, pose l'autre contre ses lèvres.

— *In nomen Deum !…* regrette-t-elle en latin.

Le roi n'aura pas de traduction car Arenberg, se tenant la poitrine, continue, le long de la courtine, à lancer des fusées partout. C'est à se demander si elle est vraiment trilingue !

Des fruitiers et poissonniers, dressant leur éventaire, lèvent la tête vers le haut du Louvre où ils découvrent, à l'intérieur d'un œil-de-bœuf, le souverain qu'ils acclament comme un grand roi. Par l'oculus de la façade Renaissance entouré des allégories de la victoire et de la renommée, Charles observe la foule avec quel vague dans les pensées et son aspect n'est pas celui d'un grand vainqueur. La comtesse, remise de ses émotions, revient en essuyant sa bouche et commentant :

— Sire, vivant confinées dans les appartements de la discrète reine en attendant le terme de sa grossesse, nous devons être les deux seules de tout Paris à avoir bien dormi la nuit de la Saint-Barthélemy… Personne n'a pensé à nous avertir. Nous n'avions rien deviné, rien pressenti à propos de la France et de sa guerre sans ennemi.

Charles IX, avec l'air piteux d'un basset qu'on fouette, dévisage sa douce épouse sans reproche, clémente jusqu'à l'amitié. Il reste là, tremblant, incrédule un peu, puis soudain ses prunelles s'écarquillent comme un homme qui a des visions :

— Elle est toute rouge ! Il court aussi, ces temps-ci à Paris, force petites véroles et rougeole ! Elle n'a pas attrapé cette dernière maladie au moins ?

Arenberg s'étonne en scrutant la figure de la reine :

— Allons, Sire, que dites-vous ? Votre femme, de par ce qu'elle a vu, est blême comme un drap.

— Elle est rouge !

Élisabeth fait une légère révérence à son mari et, alors que la comtesse l'entraîne par le bras vers l'escalier, le père de son futur enfant lui lance :

— Me ferez-vous un fils ?

La reine de dix-huit ans articule en son langage quelques mots qu'aimerait comprendre Charles. « Ce qu'elle vient de dire, c'est ça qu'il fallait dire ! » commente Arenberg. Tu parles d'une traductrice !

5

Dix heures, c'est l'heure de la messe quotidienne du roi qui pénètre dans l'église Saint-Germain-l'Auxerrois ou bien est-ce à Saint-Jacques-de-la-Boucherie ? En tout cas princes et seigneurs de la Cour, tenus par l'Étiquette de l'y accompagner, sont déjà de chaque côté de la travée centrale. Le jeune monarque arrive, entouré d'archers. Une clochette retentit et le clergé s'agenouille devant l'autel dûment rangé. On dispense à flots l'eau bénite. Les cires sont allumées. Le sermon est gentil qui dit que pour s'élever dans l'air, il faut être de foi cordiale. Au regard des vitraux constellés, l'adoration s'étire à l'infini. Ça parle de la paix de l'âme, de la nuit dissipée. L'espérance s'enroule autour des piliers froids.

Passe l'*Ecce Deus* et le *Je ne sais quoi*, Charles IX lève les yeux. Une rosace oscille dans un éblouissement de lumière d'été. La clarté ondule sur la tête d'un haut Christ et de ses bras étendus. Ses pieds saignent, ses mains saignent, le côté saigne. On sent qu'il s'offre. Dessous, le prêtre en surplis qui prie allègrement se déplace un peu. Il ne cherche, en fait d'abri, que l'ombre de la croix. Charles ne fait aucun commentaire : rien dire et laisser couler les cantiques. Il se consume au feu des *Ave* qui roulent et des troublants *Agnus Dei* qu'on dirait pépiés. Les enfants de chœur bâillent comme des tabernacles vides en remuant leurs soutanettes et de lourds encensoirs. Le prêtre dit ensuite d'autres formules sacrées. Tête plate de vipère des bois et allure d'un qui vendrait Dieu trente deniers, à l'instant de la communion, il prend une hostie et, sur la langue de Sa Majesté, veut la déposer. Mais ce que le roi Valois voit venir vers lui c'est une hostie liquide de sang qui va tacher son habit blanc.

— Aaah !

Il se recule d'un bond et regarde tomber la rondelle de pain de froment. Cette tache de sang est à ses pieds. Sur les dalles du lieu saint, il l'essuie machinalement de la semelle. Elle s'écrase en poudre blanche. Ça fait un bruit à tourner le sang d'un pape ! Le prêtre assiste à ce sacrilège en enchaînant des signes de croix et bégayant :

— Ê-Êtes-vous de-de-devenu pro-protestant ?!

Dans toute l'église, les bordures de fraises en dentelle des courtisans s'agitent.

« Point, point. Je suis désolé », balbutie le roi puis il ajoute : « J'en prends tous les dieux à témoins » ce qui n'arrange pas les choses !

6

— Eh bien, dis donc, Henriot, quel appétit ! Ce n'est pas sur tes dents que les araignées tisseront leurs toiles.

— Beau-frère, depuis que, une lame sous la gorge, tu m'as obligé à me convertir au catholicisme et que je me trouve assigné à résidence avec défense de sortir seul du Louvre sous peine de mort, il faut bien que je m'occupe… répond goulûment Henri de Navarre (dix-neuf ans) avec son fort accent béarnais. Tu veux un verre de vin ?

— Je n'en bois jamais. Je préfère l'eau où trempent des fleurs. Par exemple, celle de cette carafe aux pétales de roses.

— Une pâte de coing ?

— Non, je n'ai pas faim. Tu te plains mais aurais-tu préféré le sort du cuistre Coligny ?

— Je croyais que tu l'appelais « mon père ». À toi de jouer.

Dans une grande salle lambrissée de chêne et percée de fenêtres en ogive qui donnent suffisamment de clarté à l'heure de la collation d'après-midi, le roi de France et le mari de sa sœur jouent aux dés.

Charles secoue les petits cubes en os et contemple leurs faces tournoyantes marquées de un à six :

— Aujourd'hui, je hais ce que fut l'amiral : juste un traître qui me manipulait. Ah, de ce chef huguenot, il fallait tout craindre !

— Tu cherches à t'excuser de quoi, Charles ?

Le roi lance les dés sur la table :

— Je suis content qu'il soit mort.

« Menteur », commente Navarre en comptant les points de son partenaire et ramassant les dés. Il saisit aussi une dragée dans une spectaculaire corbeille en céramique émaillée de Bernard Palissy pleine également de biscuits en abondance et de fruits.

— Ton, pourtant ami, La Rochefoucauld a péri l'un des premiers, relate l'assigné. Lorsqu'ils ont frappé à sa porte, il a cru que c'était toi qui le visitais. Il a ouvert en riant : « Majesté ? » et fut percé de dagues.

Le Béarnais lance à son tour. Charles le regarde :

— Et Coligny ?

— Besmes, soudard de Bohême, lui a déchargé au lit son pistolet en plein front. Un autre lui a poussé un épieu dans la bouche. Le troisième l'a frappé d'une hache. Jeté ensuite par le balcon sur le pavé, Guise l'a fait décapiter et traîner jusqu'en Seine où il a gonflé plusieurs jours avant d'y être repêché puis pendu maintenant par les pieds au gibet de Montfaucon. Eh bien, Charles, tu joues ?

— Tu ne veux pas ouvrir une fenêtre, là pour aérer ?… parce que ce que tu pues, Henriot ! Une odeur de poisson pourri.

— Quand tu me parles comme ça, on dirait ta sœur. Marguerite aussi est incommodée par mon fumet mais je n'aime pas me laver ! se marre le prince Bourbon qui s'exécute pour aller écarter deux battants donnant vers la rue du Monceau-Saint-Gervais.

En pourpoint étroit aux boutons métalliques, barbe pointue, extrémités des moustaches relevées et cheveux crasseux bouclés, il revient picoler du vin de Nérac et se bâfrer de gâteaux crémeux à la table où le monarque l'interroge encore en secouant les dés :

— Et Andelot ?...

— Celui qui t'appelait « cher petit maître » fut retrouvé, son sexe arraché fourré entre les dents et le cadavre nu de sa femme avait des pages de Bible mises dans la bouche alors qu'on aurait préféré l'inverse... s'amuse le Béarnais grivois.

— Tu parles de plus en plus en papiste, constate Charles. Est-ce que tu te souviens, quand nous étions enfants, la fois où tu avais un bonnet que tu aimais beaucoup et que je l'avais jeté sous un bénitier pour te forcer à entrer dans une église ?

— Joue, taquin.

Le roi fait rouler les dés qui s'arrêtent en présentant, chacun, un cinq sur sa face supérieure :

— Ah, les « têtes de morts ».

Sans doute insatisfait du score, il relance aussitôt mais voit alors fuir de longs filets de sang par tous les trous noirs des petits cubes osseux.

— Oh, j'ai taché le bois, se désole-t-il.

Devant un Henri de Navarre qui ne comprend pas, l'altesse glisse une phalange sur la table intacte puis la porte au bout de sa langue.

— Qu'est-ce que tu goûtes, Charles ?

7

Verre d'eau à la main droite où flottent des fleurs d'oranger, le roi assis sur son trône semble dans un état dépressif grave, proche de la prostration, et troublé par d'incessantes hallucinations. Adolescent prolongé, ce jeune monarque est tout bizarre et songeant. Habillé à la royale – couronne, col d'hermine moucheté et long manteau bleu de France –, il lève le sceptre étendu sur ses genoux pour en menacer un des lévriers qui a grogné quand il a posé son verre sur l'estrade de cette vaste salle officielle où il est seul, mais tellement seul !

Maintenant accoudé, index le long de la tempe, il fait fumer son âme avec tous ses malheurs. Plus pâle qu'un cadavre et plus tremblant qu'un chien, de ses milliers de victimes il voit errer les ombres. Une main invisible s'appesantit sur lui. Bouche blême restant à demi ouverte, de puantes chenilles infectent le cerveau de Charles.

Yeux fixes, il paraît égaré en ce beau jour de septembre attiédi et pris d'un souci plutôt entêté. Ses sens n'ont plus de sens. Son esprit qui s'envole le conduit à l'assaut d'une fantaisie – s'emparant, à sa ceinture, d'un poignard fort riche et décoré de turquoises, il s'entaille l'index qui était contre sa tempe. La lame effilée ouvre la chair jusqu'à l'os et le sang coule sans que bouge un nerf de sa face.

Triste, morne et pensif sous des lambris chamarrés, il lèche le sang et, alors qu'il coule à nouveau, le renifle longuement sous son grand nez de Valois. Lui, le buveur d'eau de fleurs, s'en délecte aussi en œnologue comme s'il goûtait un grand cru, trouve à l'hémoglobine une saveur ferreuse enivrante. Gencives rougies aux crocs blancs de souris, il constate :

— Ça saoule.

8

— Ah, pendard ! Je vous retrouve...

Le manteau du roi, se soulevant, claque au vent tandis qu'il marche à pas fiers et lents vers l'énorme gibet de Montfaucon où monsieur Dieu balance les cordes de quatre-vingts protestants pendus. Là, dans les airs charmés de cette colline hors des remparts, volettent des odeurs qui écœurent.

En s'approchant d'une certaine dépouille, tous les membres de la Cour qui accompagnent Sa Majesté secouent une main devant leur nez, même le comte en armure Annibal de Coconas qui pourtant n'est pas un tendre :

— Lors du grand divertissement de la fameuse nuit, j'ai acheté au peuple trente huguenots pour avoir le contentement de les tuer moi-même à mon plaisir qui était qu'ils renient leur religion sous la promesse de les épargner, ce qu'ayant fait je les ai poignardés après les avoir fait languir à petits coups cruels. Aucun de ceux qui en suaient ne sentait aussi mauvais que celui-là.

Accroché par une ficelle à « celui-là », une pancarte indique :

Ici, l'amiral est pendu
Par les pieds à faute de tête !

Coligny nu, châtré aussi à coups de tranchant de pelle, n'est plus qu'un malheureux débris suintant qui commence à rendre des senteurs proprement insoutenables. Le monarque poursuit vers lui en humant l'air alors que les autres ne peuvent aller plus près. Navarre (qui pourtant ne sent pas la rose) s'arrête à son tour :

— C'est vrai que c'est quand même vigoureux comme odeur !… Charly, comment peux-tu supporter ces effluves et grimacer à mon fumet ?

Charles IX contourne la dépouille verte et gonflée, visage l'effleurant. Il la renifle longuement. Sur la pointe des pieds, il se délecte du parfum des mutilations. Sa tête ondule au bout du cou comme un serpent qui danse. Il sourit derrière la carcasse en voyant là-bas princes et seigneurs serrant leur appendice nasal, se moque d'eux :

— Je ne bouche pas mon nez comme vous autres car le cadavre de son ennemi sent toujours bon.

Du bas de la colline de Montfaucon montent des tourbillons de fumée âcre provenant des grands bûchers où brûlent les corps d'hérétiques. Un prévôt se tient auprès avec une baguette rouge pour représenter la justice. Les cadavres condamnés et incendiés à titre posthume ont le rire logique des têtes de morts tandis que le roi insulte la dépouille de l'amiral :

— Monstre si laid que le soleil n'en a jamais vu de pareil !

Henriot, Bourbon goguenard, relève sa moustache :

— Ton « père », tout d'un coup, quelle image
étrangère !

— Je le trouve dorénavant très brûlable comme
un fagot.

— Ô que tu es matois, Charly ! Tu as l'âme espagnole !

— Maintenant qu'il est décapité, châtré, je veux
qu'on le mène au bûcher avec les autres pour que
plus aucun lambeau de sa chair ne puisse me mani-
fester sa désolation. Les cendres des brûlés éparpillés
autour des remparts de Paris ouvriront au printemps
prochain un million de fleurs de muguet.

— Qu'en ferons-nous, Sire ?

Charles ne répond pas. Il disparaît sans autre trace
de lui qu'un aigre éclat de rire.

9

Dans son petit cabinet privé où le samedi 23 août au soir il avait reçu son Conseil ainsi que sa mère et Anjou, Charles assis, front appuyé sur les genoux et la nuque dans ses paumes, grommelle :

— Une seule nuit a détruit ma vie. Qu'à tous les diables soient données les religions.

Une profonde émotion de remords fermente sans cesse dans son esprit :

— Vous, Coligny et mes amis, trop chères victimes, pardon ! Si vous étiez témoins de mes douleurs, à votre meurtrier, vous donneriez des pleurs.

Il se lève pour aller se contempler dans le reflet d'un miroir auquel il s'adresse :

— Mais qu'as-tu ordonné, Charles ? Hélas, hélas ! Les morts ne sont pas si morts que l'on croit.

Dans ce Louvre qui maintenant lui fait horreur, il se reproche :

— Tu as commis un grand crime. Tu n'es plus un roi mais un assassin. Un meurtre abominable ensanglante tes mains. Te voilà couvert du sang de tes sujets.

Il tend l'index croûteux, enflé et tuméfié (l'autre

fois entaillé par la lame de sa dague) vers la vitre de son miroir et se menace :

— Voilà une souillure dont tu ne te laveras pas facilement. Tu as de tous les plus vils tyrans de l'Histoire réuni les forfaits ! Les Vêpres siciliennes et le banquet « fraternel » où César Borgia fit étrangler ses invités sont innocentes bagarres de rue d'après bals comparées à ton incroyable délit.

Tout l'accuse en son esprit troublé. Même derrière lui, sur la tapisserie surannée et banale tel un décor d'opéra qu'il voit inversée dans le reflet, le cerf aux abois en a l'œil devenu noir qui clignote comme un battement de cils stupéfait.

— De toi à moi, quelle est la route ? reprend le roi face à son reflet. Que ferais-je désormais ? Où irais-je, chétif ? Pour le mal que j'ai fait, il convient de me cacher. Dois-je me retirer dans ma chambre ou dans quelque désert ou sous quelque rocher ? Où fuir ?

Après ce torrent de paroles d'un jeune homme qui, d'ordinaire, n'en est pas prodigue, il s'exclame.

— À moi ! crie-t-il, les yeux troubles et la tête lourde. À moi !...

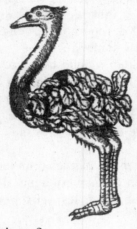

10

— C'est quoi, ça ?

— Une autruche.

— On la dirait couverte de plumes. Est-ce un oiseau ?

— Oui, exotique.

— Et ça vole ?

— Non.

— C'est un oiseau qui ne parvient pas à voler... comme une volaille de basse-cour, quoi !

— C'est ça mais sauvage.

— Drôle d'oiseau.

— Oui et vous, comment allez-vous, Sire ?

— Nullement bien, Ambroise ! Je ne sais ce qui m'arrive ces derniers jours mais je me trouve l'esprit et le corps grandement émus, voire tout ainsi que si j'avais la fièvre, me semblant à tout moment, aussi bien veillant que dormant, que des corps massacrés se présentent à moi avec leur face hideuse couverte de sang. Je suis comme les marbres du palais qui, quoique toujours lavés, s'obstinent à rester rouges. Un bruit effrayant frappe souvent mes oreilles. Une subite horreur glace alors mes sens. J'entends encore des cris !

Le jeune Charles IX suivi par plusieurs de ses chiens est venu consulter Ambroise Paré – seul homme au Louvre qui lui inspire une confiance dont il a besoin.

Ce doux protestant de soixante-trois ans et premier chirurgien du roi, qui était à sa table en train de graver sur bois une autruche, rechausse ses lunettes pour ausculter la main du monarque caressant le crâne d'un lévrier :

— Qu'avez-vous à l'index, Majesté ?

— Je me suis coupé.

— Faites voir. Pour la cautérisation des plaies, dit-il en s'emparant d'un petit pot de grès ouvert, j'ai créé ce mélange d'huile de rosat et de térébenthine avec des jaunes d'œufs qui s'avère efficace.

Pendant que le ridé Paré, barbe grise en pointe par-dessus une fraise, étale son onguent sur la blessure du doigt qu'il enveloppe ensuite de charpie,

53

Charles contemple le dessin du savant auquel il est très lié :

— Pourquoi mettez-vous cet oiseau en image ?

— Abordant la vieillesse, je désire laisser dans un livre un abécédaire des animaux étranges. L'autruche d'Afrique qui m'a servi de modèle fut transportée jusqu'à Marseille à bord d'un navire.

— Ah ? Je l'ignorais mais on ne me dit pas tout… Sur votre dessin, on ne saurait se rendre compte. Est-ce un petit oiseau ?

— Non, Sire. Tout comme vous, il est de très haute taille.

— Est-il cruel ? S'en prend-il de lui-même à ses congénères qu'il assassine en masse ? Comment le vit-il ?

— On raconte que les autruches se mettent la tête dans le sable pour ne plus avoir à regarder les problèmes en face. Sinon, c'est un oiseau coureur.

— Moi aussi, j'aime beaucoup la chasse à courre, déclare le roi en tapotant gentiment l'encolure d'un chien. J'en ai d'ailleurs dicté un traité à mon grand veneur, le duc d'Aumale.

Le chirurgien lui conseille :

— Retournez-y, Majesté. Il vous faut changer d'air de crainte de faire augmenter l'accident de votre mal intérieur. Quittez parfois la Cour et ses intrigues qui vous dépassent…

— Oui, j'ai pu me tromper, Ambroise. On m'a égaré peut-être à propos d'un complot imaginaire. Le trône où je règne est entouré de pièges.

— Allez courir au cul de vos limiers avec vos gentilshommes et équipages de chasse.

— Merci, Ambroise, pour ces conseils et pour le doigt.

— C'est moi, Sire, qui vous remercie de m'avoir épargné.

Lorsque Charles IX sort dans le couloir, il voit un escadron de jeunes filles filer au loin et Catherine de Médicis l'attendre devant la porte :

— Quoi ? Que me voulez-vous, ma mère ? Avez-vous besoin d'un nouveau crime ?

— Charles, il faut que je te parle car tu divagues et t'es dit à toi-même de curieuses choses…

— Comment savez-vous ce que je me suis dit, mère ?

— Mon fils, ce qui est arrivé, il valait mieux que ça tombe sur eux que sur nous !

Le roi éclate de rire en bousculant sa génitrice pour passer.

— Où vas-tu, Charles ?

— Me changer pour aller traquer la bête rousse en forêt de Villers-Cotterêts.

— Mais c'est loin. Tu ne seras pas là avant plusieurs jours ! Et mes décisions que tu dois valider, les ambassadeurs qu'il te faut recevoir, les édits que tu as à signer ?

— On verra ça une autre fois.

— Pourquoi t'en vas-tu ?

— Aux civilisations, je préfère les paysages.

11

Sur son cheval – fringant genet d'Espagne – le roi porte des bottes lacées au côté de la jambe comme une longue cicatrice recousue. Il a aussi des grègues, descendant jusqu'aux genoux, à bourrelets volumineux qui lui font des cuisses d'autruche. Il perçoit le son des trompes au loin, l'aboiement des limiers et, à en juger par le cor, un cerf est aux abois !

Charles veut assister à l'hallali. Il souffle dans son huchet – la petite trompe de chasse qu'il a prise sur la table de son cabinet privé – pour prévenir de son arrivée et qu'on l'attende. À toute allure, en chemise de grosse toile, bonnet de feutre pointu, il rejoint le bord d'un étang d'où sort un dix-cors ruisselant qui tire la langue. La bête rousse, quoique usée de fatigue, s'accule contre un noyer et tient encore tête aux lévriers. Le monarque saute imprudemment de son cheval, s'il meurt, tant pis ! En traître et dague au poing, il contourne le gibier, se met à l'abri derrière le gros noyer et alors que, courageusement, le cerf envoie valdinguer quelques piquiers et des chiens qu'il éventre de ses andouillers, le roi de la Saint-Barthélemy sort de sa cachette :

— Dieu te guérisse, Sa Majesté te touche !

La lame de son affamé coutelas brille pour aller fendre le jarret d'une des pattes arrière de la bête rousse qui, déséquilibrée, s'abat et roule parmi des bruyères en levant des poussières. Le roi-équarisseur rit de son exploit :

— Ne lui ai-je pas bien joué mon jeu à ce par-paillot ? N'ai-je pas su bien me dissimuler pour le forfait ? N'ai-je pas bien appris la leçon et le latin de mon aïeul Louis XI ?

Maintenant, il se jette à la gorge de l'animal et l'air s'empourpre aux reflets de tuerie.

— Tue, tue, mort-Dieu !

Il plonge son couteau sous la poitrine du cerf et tourne la lame pour agrandir largement la plaie au ventre. Les gentilshommes, montés sur des chevaux superbes, s'agitent dans tous les sens alors qu'un page arrive au galop pour faire signer un document urgent au roi qu'il ne parvenait à retrouver dans la vaste forêt de Villers-Cotterêts :

— Sire, Sire ! Il me faut tout de suite une signature au bas de cette dépêche et que vous y apposiez l'empreinte en très bonne forme du sceau de votre bague ! La reine mère en ordonne l'expédition rapide.

Mais le roi qui halète glisse entièrement sa tête dans le ventre ouvert du cerf comme si c'était du sable et crie d'une voix étouffée :

— Je ne suis pas là ! Je ne suis pas là !

Au page qui allait encore la ramener, les gentils-hommes conseillent de ne pas insister :

— Sa Majesté va vous courir après, vous tuer et vous dévaliser de la dépêche qu'il jettera dans l'étang.

— Ah bon ?

« Je ne suis pas là, je ne suis pas là... » répète le roi tandis que l'émissaire s'en retourne en criant « Hue ! » à son haridelle.

— Ça y est, il est parti ? Il n'y a plus de problèmes ?...

Du ventre de la bête rousse, Charles IX ressort sa tête fumante. Un comte qui fait pivoter sa monture glose :

— Voilà un fait divers qui donnera à penser pour jamais.

Après que les chiens ont dévoré les abats du cerf, la Cour reprend le chemin de Paris.

12

— Bonjour Majesté ! Vous avez tiré le cordon pour prévenir de votre réveil. Puis-je donc ouvrir les rideaux ?

Sans attendre de réponse, le capitaine de la chambre royale dégage la fenêtre :

— C'est le point du jour. Nous aurons un joli temps de début octobre.

Le roi, au lit, se frotte les yeux, observe le ciel à travers les vitres puis tente, à jeun, de poétiser en s'étirant :

— *Et le soleil, voyant le spectacle nouveau, à regret élève son pâle front des ondes, transi de se mirer en mes larmes profondes...* Il faudra que je pense à répéter ça à mon poète. Ronsard limera ce qui ne va pas. *Voici un beau soleil qui, de rayons dorés, jusqu'au lit...* Je chercherai la suite une autre fois. Ma chemise !

C'est alors qu'entrent les gentilshommes servants qui s'occupent des habits royaux. Un fontainier s'empare d'un broc pour aller chercher de l'eau. Il est entouré d'archers car au Louvre, par crainte du poison, une vigilance pointilleuse règne autour de tout ce qui touche le corps de Sa Majesté. Dans la chambre canée, ornée d'un plafond de bois trop décoré, Charles IX se vêt devant princes et seigneurs qui ont assisté à son coucher. Un page se penche sous le chevet du lit pour y saisir un trousseau de clés :

— Nous allons pouvoir ouvrir les portes du palais…

Déjà, on entend qu'on retire les ordures de la cour, balaie les escaliers, couloirs, salles basses et hautes du Louvre. Tout devra y être propre lorsque le roi quittera sa chambre. Le grand chambellan surveille les valets qui refont le lit. Quelqu'un verse l'eau du broc dans un bassin doré couvert d'une belle serviette. Pendant que le barbier s'active autour du royal menton et qu'un médecin tâte le pouls de Charles, les gentilshommes, sur ordre d'un huissier, laissent la place à deux importants personnages qui s'occupent des affaires de l'État accompagnés d'un secrétaire.

— Cela fait combien de jours que je n'ai plus vu monsieur Nicolas, mon secrétaire habituel ? s'inquiète le roi. Est-il souffrant ?

— Sire, répond le maréchal de Tavannes, Nicolas était protestant alors… Au jour qu'il est, sur la Seine, son corps transpercé de flèches a dû atteindre l'océan.

— Ah, regrette le monarque, je l'aimais bien. Sinon et c'est pour ça que je vous ai fait venir, d'après ma mère, il semblerait que je doive m'intéresser davantage aux choses humaines. Éclairez-moi en ce Conseil étroit. Comment va le monde ?

C'est un connétable, grattant un peu ses cheveux gris, qui s'y colle :

— Les roses comme avant palpitent mais sinon tout a changé dans votre royaume nouvellement enrichi des pleurs et du sang des Français.

Le roi apprécie ce mot-là pendant que l'interlocuteur poursuit :

— Le massacre parisien de la Saint-Barthélemy s'est étendu dans beaucoup de provinces comme par capillarité. En Touraine, les villes qui jusque-là n'avaient jamais trempé dans les guerres de religion troublent cette fois la Loire d'une teinte nouvelle. Dax a suivi même jeu. Pareil à Meaux, Troyes… L'eau de leurs rivières rit en mille ondes rouges. Au sud de Lyon, ville décimée, Arles, qu'on dit n'avoir ni puits ni fontaine, souffrit du passage de sang qui pendant dix jours leur défendit le breuvage du Rhône. Plus d'un mois après, on tue encore dans certaines cités éloignées.

Charles IX ride des sillons à son front. Il fronce aussi les sourcils :

— Toute la France aura donc versé dans cette folie…

— Toute non, conteste le secrétaire en dépliant une lettre, car Saint-Hérem, le gouverneur d'Auvergne, vous a adressé une missive, reçue hier soir juste avant qu'on ferme les portes du Louvre, et que j'aimerais vous lire si vous me le permettez.

— Faites, ordonne le roi.

Le secrétaire chausse ses besicles et lit : « *Sire, j'ai reçu un ordre, non signé et sans sceau royal, de faire mourir tous les protestants de ma province. Je respecte trop Votre Majesté pour ne pas croire que cette dépêche est supposée ; et si, qu'à Dieu ne plaise,*

61

l'ordre est véritablement émané d'elle, je la respecte encore trop pour lui obéir. »

— Je n'ai jamais vu la lettre qui lui fut adressée, s'énerve le monarque.

— Quand un page est venu pour vous la faire signer en forêt de Villers-Cotterêts, il fut refusé et éconduit tout à plat par Sa Majesté qui faisait l'autruche, prétexte le secrétaire.

— Ce Saint-Hérem a commis un crime de lèse-majesté ! s'étouffe Tavannes hors de lui. Sire, ordonnez qu'on le pende, l'écartèle et le brûle !

Charles IX réplique :

— Je n'aime pas énormément la race de feu Judas… pourtant ça vaut encore mieux que la crasse de tout ce Louvre qui ordonne sans mon sceau d'accabler le protestantisme aussi dans les provinces.

— La reine Catherine cherche seulement à vous soulager d'un labeur de cabinet fatigant, justifie le maréchal. Majesté déprimée, vous ne participez presque plus au gouvernement. Il faudrait vous traîner aux séances du Conseil royal et…

Le roi le coupe :

— À tant, c'est assez parlé de ce que je devrais faire. L'avis des autres pays ?

— Le massacre de la Saint-Barthélemy a stupéfié l'Europe, relate le vieux connétable. L'œuvre sanglante dont vous avez pris l'initiative offense grandement les étrangers.

— Ce sont des bougres de naissance ! gueule Tavannes. Ça a dû tenir de lieux d'aisances en des mondes antérieurs dont je me fous ! On devrait tous les tuer !

— Reprenez connétable, soupire le monarque, et n'omettez rien.

— Ils accusent votre mère d'être une putain qui a fait un lépreux. Ils disent qu'il n'est pas possible de voir une écrevisse plus tordue et contrefaite que le roi de France. La reine Élisabeth d'Angleterre a reçu notre ambassadeur en tenue de grand deuil. Elle demande la punition du massacre et la réhabilitation des morts de la Saint-Barthélemy. L'empereur Maximilien II en est fort malade d'une colique venteuse et menace que l'Allemagne s'ébranle et vienne marcher sur les grasses campagnes des fleurs de lys. Un émissaire des Provinces-Unies actuellement à Paris refuse de vous rencontrer, convaincu qu'il ne gagnerait que honte et malheur à toucher votre main sanglante.

— Pff… souffle Charles. Me voilà donc bien seul sous leurs regards.

— En revanche, si les puissances protestantes sont scandalisées, l'Espagne catholique applaudit, contrebalance Tavannes. Philippe II en apprenant la nouvelle fut pris d'un fou rire et a dit n'avoir jamais ressenti un contentement pareil. Il a ajouté : « Béni le fils qui a une telle mère, bénie la mère qui a un tel fils ! » À propos de gens fort satisfaits par la Saint-Barthélemy, Sire, le pape a envoyé le cardinal Orsini qui vous attend déjà avec gourmandise dans la salle du trône.

— Qu'il patiente pendant que je prends mon potage, déclare Charles en tirant sur un cordon.

La porte de la chambre s'ouvre. Deux pages adolescents, portant une soupière sur un plateau, arrivent.

L'huissier, à l'entrée, tire leur bonnet pour qu'ils se présentent décoiffés devant le roi. Il soulève aussi le couvercle d'argent de la soupière et annonce :

— Bouillon de pot-au-feu bien cuit et bien consommé !

Le monarque observe la surface du liquide fumant un peu :

— Là aussi, c'est plein d'yeux écarquillés de reproches qui me regardent !... Je n'en veux point. Il faudra mieux l'écumer la prochaine fois. Qu'on me serve plutôt des confitures.

— Votre confiseur royal était protestant, Sire...

— Raah ! se désole le roi. Et des cerises au sirop, en reste-t-il ?

— Le temps d'aller les quérir et on vous les apporte en salle du trône, Majesté.

Lourdaud et à pas de vache, Charles IX s'en va à ses obligations royales. Droit au diable, il passe à travers des pièces qui s'ouvrent les unes sur les autres dans ce palais austère.

13

— Comment va la messe, cardinal Orsini ?

— Mieux que le prêche, Majesté, et c'est heureux.

Orsini s'agenouille devant le jeune roi tueur assis sur son trône dont il baise les deux genoux mais seulement une main puisque l'autre tient un bocal fermé empli de cerises au sirop. Le monarque lui commande de se relever. Le prélat debout fait encore une profonde révérence. Il porte à sa ceinture un chapelet dont les grains sont gros comme des œufs de poule et paraît fort content d'annoncer :

— Le pape répand sur votre couronne toutes ses bénédictions et m'envoie pour vous féliciter. Vous êtes à ses yeux le plus parfait des rois. Aucun autre avant vous ne sut massacrer son peuple au nom de Dieu.

Charles hoche la tête tandis que l'émissaire poursuit :

— Je l'ai entendu cent fois vous nommer : « Le vengeur du ciel ».

Le monarque dandine maintenant son visage de gauche à droite.

— Sire, dès qu'il a appris la nouvelle, Grégoire XIII a laissé éclater sa jubilation et a chanté le

Te Deum. Il a ordonné d'allumer des feux de joie partout dans Rome et a aussitôt commandé une fresque qui relatera les scènes les plus torrides de la Saint-Barthélemy.

Charles IX a l'air de trouver que c'est d'un drôle de goût, l'idée de la fresque : « Je n'en voudrais pas sur les murs de ma chambre, moi. Déjà que je dors mal… », dit-il en ouvrant son bocal pour y piocher une cerise qu'il porte à sa bouche alors que le cardinal continue ses louanges : « Le nonce apostolique vous fait savoir que l'événement du 24 août, aussi inattendu qu'utile à la cause du catholicisme, non seulement le ravit d'admiration mais encore le met au comble de l'allégresse. » Mâchant le bigarreau, le roi commente : « Che chuis bien aise de che qu'il y a pris du plaichir… » Il déglutit :

— Orsini, vous savez que les affaires de la France vont mal avec ces guerres de religion continuelles et vous imaginez la peine qu'on aura maintenant pour emprunter de l'argent à des pays comme l'Angleterre ou l'Allemagne. Nous avons demandé au pape un prêt de cent mille écus, disons le prix du massacre. Quelle est sa réponse ?

— Il vous offre dix mille francs.

Pop ! Le roi crache son noyau au visage du cardinal :

— Ce n'est pas beaucoup.

Le prélat, ayant reçu le noyau au front, en reste un temps bouche bée puis fait comme si rien ne s'était passé :

— Augmentez vos impôts, Sire. Trayez les pis de la France. C'est une bonne vache.

Pop ! Il reçoit un nouveau noyau contre le nez mais prend sur lui :

— Le pape pense qu'il ne vous faut épargner d'aucune manière ni sous aucun prétexte les ennemis de Dieu et que vous devriez…

Un noyau de cerise arrive sur une joue du porteur de félicitations de Sa Sainteté :

— Qu'elle donne de l'argent et non du conseil.

Visage méthodiquement bombardé de noyaux, le cardinal rappelle que :

— Pendant la nuit de la Saint-Barthélemy, chaque goutte de sang portait le nom de Dieu.

Lui-même se retrouve la face toute grêlée de petits points rouges alors que le roi trouve la réunion trop longue et qu'il soupire en remarquant deux choses enveloppées aux pieds du cardinal qui porte des bas de soie à la couleur du jour.

— Qu'est-ce là ?

— Majesté, puisqu'en France, grâce à vous, les protestants épargnés se laissent dorénavant mener par troupeaux aux églises et que les huguenotes effrayées courent aux cathédrales étreindre la Vierge protectrice, le nonce apostolique a d'abord décidé de vous offrir ceci, dit-il en se baissant pour ramasser une chose longue. C'est une épée bénite !

— Faites voir ce jouet, Orsini.

L'altesse déplie l'emballage du présent tendu et s'extasie :

— Par les boyaux du pape ! Elle paraît aussi bonne qu'elle est riche.

Il regarde briller la lame de l'épée, la ploie, contemple la pointe et semble très satisfait :

— En voilà une qui ne rouillera pas dans son fourreau, ah, de par le vieux Dieu barbu des vieilles bibles !

Le cardinal préfère feindre de n'avoir pas entendu les singulières expressions du monarque et tend le second cadeau :

— En souvenir de votre acte si merveilleux, Grégoire XIII a fait frapper une médaille commémorative.

Charles, après avoir craché un nouveau noyau au menton du prélat, s'empare de la pièce comme un petit élève recevant un bon point. Il la soupèse.

— Elle est en métal doré ! s'enflamme Orsini, datée en haut : 1572.

À gauche de la médaille, le roi s'y voit représenté avec des ailes en ange exterminateur tenant dans une main une croix verticale et frappant d'une épée horizontale, qu'il tient dans l'autre main, des huguenots suppliants.

L'ange s'épuise à combattre et Charles s'endort à regarder la médaille et à entendre l'ecclésiastique continuer de débiter ses sornettes. Las des compliments, Sa Majesté montre du bout des doigts une porte de la salle du trône, annonce que l'audience est terminée. Le porteur de félicitations du pape, au visage souillé de jus de cerises, sort à reculons avec les révérences d'usage tandis que le roi s'étire :

— Bon, je vais retourner à la chasse, moi, vers les forêts d'Orléans, foutre de Dieu !

14

Quel vallon, quel bois sacré ! Une grenouille coasse entre des joncs où circule un frisson. Une libellule erre parmi les roseaux. L'eau de la rivière saute à petits flots. Un tas d'oiseaux pousse ses premiers cris dans les branches. Le bruit des choses réveillées se marie aux brouillards légers et le vent frais qui s'élève redresse le feuillage des bois – c'est l'aube ! – mais le lieutenant de louveterie, Charles de Jouvyn, lorgne le roi à cheval et s'inquiète :

— Il est bizarre.

Près de ce membre d'équipage de la chasse qui va débuter, l'amusant Henri de Navarre, bottes dans les herbes, lève aussi les yeux vers son beau-frère :

— Oh, Charly ! Charly je ne sais plus combien, Charly 9, ça va ?

Le monarque n'est pas au mieux. Sur un coursier de Naples, on sent qu'il a comme un vertige et le goût du néant. On le voit bien à son regard souvent béant. Le Béarnais, inutilement, le hèle à nouveau :

— Charly 9 !

Le roi n'entend plus rien alors les commentaires y vont autour de sa monture :

— Déjà hier, dit le seigneur du Mesnil, en courant

70

le daim il a sonné du cor la matinée entière. C'était à la limite de la folie.

Messieurs Dufou, Viole et Fumé ont aussi leur opinion :

— La chasse est devenue diplomatique pour lui. Ses absences du Louvre permettent d'échapper aux conseillers et aux ambassadeurs.

— Ça lui permet de repousser les audiences, de faire traîner les décisions.

— Sa jeunesse égarée n'aimera plus rien que de tuer en orgies sanguinaires les cerfs qui pleurent de leur œil noir, transpercer les biches et les faons qui naissent.

L'altesse regarde les nuages qui se tassent, s'étirent, les formes et les lueurs qui laissent apparaître à l'est un trou de soleil. Charles, en selle, se met à trembler :

— Là, la médaille que m'a offerte le pape mais en énorme ! Là, devant, regardez ! Elle devient une boule de feu ! Il faut la tuer !

— Mais de quoi parle-t-il ? demande Navarre à Jouvyn qui n'en sait rien.

En cette espèce de poème que le monarque vit, son esprit est un fourneau de feu. Il s'élance comme un tonnerre, part loin des hommes. Un grand souffle inconnu l'entoure. Voyageur si triste, tu suis quelle piste ? Cet enragé de vénerie, peut-être également résolu à tromper la vigilance de sa garde, crie et hurle comme les gens hors de sens. Il saute la haie, la haie de sa raison, et fuit à l'horizon. Les veneurs partent dans l'autre sens en justifiant :

— Si le roi, qui a reçu lors de son sacre la lumière

de Dieu, a vu venir une boule de feu, on comprend mieux son mutisme interloqué de tout à l'heure !

— Hue ! Oh dia ! gare là, hue ! Harri bourriquet ! s'époumone Charles qui sonne aussi du cor à s'en déchirer la poitrine.

Vêtu en bourgeois chasseur – corps de satin noir coupé à l'espagnole et culotte en peau de diable – il brandit une pique, de sa main calleuse pleine de d'ampoules. Comme un naufragé nageant vers l'île, il galope vers sa vision hallucinatoire alors que Navarre l'appelle :

— Ah, Charly, où vas-tu te perdre ? Au moins si tu n'as pas pitié de toi, aie pitié du royaume !

Jouvyn lui lance :

— Que courez-vous immoler maintenant, Sire ? Des parents ?

Charles, la bouche embavée, file longuement entre des bouquets d'arbres et de l'eau, tente de traverser la forêt d'Orléans. Mais hors d'haleine, tout en nage, arrivant face à un gros chêne et voulant tourner trop court, son cheval se renverse et le roi s'évanouit dans l'herbe.

Lorsqu'il reprend connaissance, debout et ligoté à un arbre, il se croit victime d'une autre hallucination. Cette odeur qui flirte à ses narines ! Ah, mais ce n'est pas possible, ça. C'est irréel autant que la boule de feu qu'il avait cru entrevoir à l'aube.

Devant lui, deux garçons – jeunes tigres aux yeux de chatte – tranchent un pâté en croûte qui fume et sent bon dont ils discutent en gastronomes :

— Je crois qu'on a bien fait de le voler au charcutier de Pithiviers qui le livrait au château du Hallier.

— Ah, ça, une terrine d'alouettes, prises au filet après l'été lorsqu'elles sont grasses, c'est quelque chose ! Rien de plus succulent que les mauviettes surtout quand elles sont comme celles-ci, regarde, farcies.

Le roi ligoté en salive. Aux deux gars qui lui demandent : « Vas-tu finir par nous dire qui tu es, toi le bourgeois, et ce que tu fais seul en ce bois ? Es-tu un guisard qui va nous dénoncer ou bien un parpaillot comme nous qui, pour se soustraire aux papistes d'Orléans, se cache dans la forêt ? » Sa Majesté répond : « Puis-je goûter au pâté ? »

Les ligoteurs s'en délectent, épaisses tranches après épaisses tranches. Ils vont bientôt finir toute la terrine. Ils mangent avec les doigts, goulûment, caressant parfois leur ventre et agaçant tellement l'appétit du monarque. Chaque bouchée qu'ils engloutissent est une souffrance pour Charles IX qui n'en peut déjà plus et s'écrie :

— Donnez-moi du pâté car je suis le roi de France !

Les deux malandrins en laissent tomber leurs bras :

— Le roi de la Saint-Barthélemy ?

— Oh ça, surtout croyez que je ne suis pas fier de cela qui n'est pas mon chef-d'œuvre. Je compte bien à l'avenir prendre d'autres décisions qui seront meilleures pour les gens. J'ai quelques idées mais là, je voudrais du pâté !

Il n'en reste plus qu'une tranche que l'un des jeunes protestants glisse dans la bouche de l'altesse :

— Que n'avez-vous plus tôt décliné votre identité, Sire ? On vous en aurait servi davantage, vous pensez bien ! Quand on sait ce que vous faites aux huguenots récalcitrants et à leurs familles !

Puis aussi sec, ils s'enfuient car on entend au loin la voix de Navarre appeler dans les fourrés :

— Charly-y-y-y !... Charly neu-eu-euf !

Charles IX tourne en rond dans le Louvre en sonnant du cor à s'en exploser les joues.

— Ça s'est passé vers le château du Hallier près de Nibelle, dit-il ensuite au capitaine Gondi assourdi. Je veux qu'on fasse des recherches.

— Pour retrouver les deux jeunes bandits huguenots ?

— Non, le charcutier qui a cuisiné ce pâté de mauviettes.

15

Sous le haut plafond d'une salle à manger du palais décoré d'une Diane chasseresse, de satyres couchés et de chiens courants, c'est très miraculeux ce passereau si joli qui sautille d'un air attentif et poli derrière des barreaux.

Charly 9, en trousse bouffante moirée, ouvre la cage et s'empare de l'oiseau dont il brise le cou. Il en est fini du pépiement de cet « hôte de nos bois ». Il se retrouve aligné sur la table à côté d'autres, la tête sous une aile, ayant l'air de dormir.

— Goûtez donc de ce pâté en croûte auprès des mauviettes étalées, Ronsard, et me direz si ce n'est pas une merveille comme vos poèmes, déclare le roi en ouvrant la porte d'une autre cage.

— Que faites-vous, Sire ? s'inquiète, à quarante-huit ans, le bucolique poète de la Pléiade qui préfère la salade.

— Je casse des cous d'alouettes.

« Commeint ? » demande de répéter, avec son accent vendômois, le quasi sourd Ronsard, paume rabattant le pavillon d'une oreille vers le monarque qui élève la voix :

— JE CASSE DES COUS D'ALOUETTES ! Ça me calme

et puis ça aide en cuisine car j'ai ordonné au charcutier retrouvé que j'ai nommé maître pâtissier alouettier, fournisseur officiel de la Couronne, qu'il serve dorénavant de sa succulente terrine à tous les repas du Louvre.

— Altesse, il va falloir en attraper, chaque jour au filet, des petits oiseaux pour les trois mille membres de la Cour ! Cette recette, parmi les volatiles d'Île-de-France, sera une vraie Saint-Barthé…

— Vous, qui êtes aussi mon aumônier ordinaire, avez plutôt applaudi au massacre des huguenots. N'est-ce pas, cher humaniste ?

Le collègue tonsuré de Joachim du Bellay arrondit à nouveau une paume autour de l'oreille :

— Commeint ?

— ÇA VOUS A PLU LA SAINT-BARTHÉLEMY, HEIN, RONSARD !?

— Oui.

— Voulez-vous casser des cous d'alouettes avec moi ?

— Non merci. J'aime mieux cueillir la boursette touffue, la pâquerette à la feuille menue, la pimprenelle heureuse pour le sang, pour la rate, et pour le mal de flanc.

La barbiche et les fines moustaches du végétarien papiste frémissent lorsqu'il voit un nouveau passereau frétiller des ailes entre les doigts du monarque qui avoue à son poète :

— Je puis donner la mort, vous l'éternité.

Sa Majesté caresse d'une phalange le plumet du crâne de la mauviette en lui récitant gentiment au bec :

76

Quand vous serez bien vieille, au soir à la chandelle,
Assise auprès du feu, dévidant et filant,
Direz, chantant mes vers, en vous émerveillant :
« Ronsard me célébrait du temps que j'étais belle. »

Lors vous n'aurez servante oyant telle nouvelle,
Déjà sous le labeur à demi sommeillant,
Qui au bruit de Ronsard ne s'aille réveillant,
Bénissant votre nom de louange immortelle.

Je serai sous la terre et, fantôme sans os,
Par les ombres myrteux je prendrai mon repos ;
Vous serez au foyer une vieille accroupie,

Regrettant mon amour et votre fier dédain.
Vivez, si m'en croyez, n'attendez à demain ;
Cueillez dès aujourd'hui les roses de la vie.

Charly 9 casse le cou de l'alouette.

16

— Atchoum !

27 octobre 1572, la comtesse d'Arenberg éternue en ce jour d'automne soudain froid et pluvieux où l'on s'enrhume dans les courants d'air des sombres couloirs du bâtiment destiné aux reines. Catherine de Médicis loge au rez-de-chaussée et l'épouse du roi au premier étage. Dehors, un brouillard dense, que le vent déplace en volutes lentes, rase la ville. Paris et sa région semblent pris dans une vaste inondation.

— Par la chiasse de la Vierge, ce n'est pas un jour pour aller traquer la bête rousse en forêt, grommelle Charly 9.

Il gravit un escalier, escorté par des gardes portant des flambeaux de cire dont la flamme fait bouillir dans l'air les particules d'eau en suspension qui tournoient en vapeur. En haut des marches, la grosse comtesse d'Arenberg, attendant le monarque debout devant la porte fermée de l'appartement de la reine et mouchoir à la main, interprète la météo :

— Atchoum !... Mauvais temps avant même les premiers jours de novembre veut dire que l'hiver sera glacial jusqu'à mi-février... Vous voilà seulement,

Majesté ? Votre femme se demandait si l'on vous avait prévenu.

— Comtesse, j'ordonnais l'exécution enfin effective d'un inoffensif édit de 1564, alors désolé de n'arriver que maintenant pour l'événement auquel je voulais pourtant assister. Est-ce déjà fait ?

— Oui.

Le roi passe devant la traductrice pour aller vers sa jeune femme qui se retourne et sursaute, surprise de voir la porte de la chambre s'ouvrir.

— Ce n'est pas le démon, ma reine. C'est moi, votre époux !

Un tronc d'arbre flambe dans la cheminée où Arenberg vient se réchauffer et se moucher plutôt que de traduire le bonjour du monarque. Une autre femme, assise sur un coffre, se lève et fait chaleureuse révérence au roi fort content de la trouver là également :

— Ah, ma nourrice que j'aime beaucoup quoique huguenote ! Vous a-t-on déjà avertie que j'ai pris aussi, ce matin, l'ordonnance de vous anoblir ainsi que votre mari. Parce que je vous ai tant tétée en ma prime enfance, j'ai choisi que l'on représente sur votre blason une vache d'argent à longs pis dans un champ de fleurs de lys.

La nourrice simple avec sa robe de bure et de gros seins qui tendent le linge, chapeau de laine velue sur une chevelure couleur de châtaigne, en est bouleversée :

— Oh, je l'ignorais Charl..., Majesté. Désirez-vous aussi que je me convertisse ?... ce que je ferai sans contrainte.

— Le diable m'emporte, madame Portail, si je me soucie de la religion de ceux qui me servent bien. Votre époux barbier sera chargé de mes saignées.

— Antoine vous satisfera ! Vous ne trouverez jamais plus précis que lui pour les piqûres.

— J'en suis persuadé.

Charly 9 est de bonne grâce et agréable, gentil en toutes paroles, courtois, affable, à l'égard de sa nourrice tout comme il l'est avec son épouse vers qui il pivote :

— Élisabeth, rayon de soleil à travers le brouillard…

Il lui demande excuse de ne plus venir depuis fin août la visiter très souvent en ses appartements :

— Mais quand je ne vous vois pas, je me souviens de vous. Traduisez cela Arenberg.

— Atchoum !

La jolie reine de dix-huit ans se passe d'interprète car elle comprend parfaitement les angoisses qui plissent le front et crispent le sourire de son mari. Elle entrouvre les lèvres sans doute pour lui dire en son langage : « Votre cœur à moi pour toujours » et toutes les choses d'usage dans un couple uni mais son époux ferme de ses doigts la bouche aux louanges. Des mêmes doigts, il baisse ensuite les paupières de sa femme qui le regardait trop amoureusement.

— Toujours en moi, Élisabeth, le remuement de la chose coupable dans ma solitude où s'écœure le cœur.

Jolie formule qu'Arenberg traduit par une subite quinte de toux tellement inextinguible qu'elle sort de la chambre alors que le roi demande :

— Quelqu'un sait-il où cette interprète a appris les langues étrangères ?

Personne ne lui répond, ni sa femme (bien sûr), ni madame Portail, ni les gardes dont les archers aux arcs bandés font craindre qu'un accident n'arrive.

— Quittez aussi cette salle, gens de mon escorte. Ma vie n'est point de si grande conséquence qu'elle doive être continuellement gardée telle qu'au coffre les joyaux de la Couronne.

Soldats sortis sur le palier, dans l'ombre de la reine réchauffante qui le soulage un peu – « Heureux le jour où vous êtes née, Élisabeth, pour m'être si secourable » – le roi observe d'un regard circulaire la chambre où tout son passé, disons son remords, ricane à travers la fenêtre du château donnant sur les brumes et soudain il s'exclame comme sortant du brouillard :

— Ah, mais que je suis bête encore ! Dire que j'étais venu pour cela. Qu'est-ce qu'ici dans ce berceau soudain ?

— Majesté, né ce matin, c'est le premier fruit de vos entrailles ! s'enthousiasme madame Portail. Ma cadette l'allaitera puisque j'ai passé l'âge.

Charly 9 prend entre ses mains celles de la reine :

— Et quoique très pâle, vous êtes déjà debout comme l'exige la pénible Étiquette. Avez-vous souffert ? Comment s'est passé l'accouchement ?

La nourrice du roi relate :

— L'enfant est apparu facilement… comme dans un éternuement, ajoute-t-elle alors qu'Arenberg revient en râlant qu'on se passe d'elle pour les conversations entre le roi et la reine.

— Quel prénom, mon épouse, donnerons-nous à ce dauphin ?

— Marie-Élisabeth ! répond la traductrice dont le souverain se demande maintenant si seulement elle comprend le français.

— Marie-Élisabeth... articule lentement la reine, de sa douce voix, en écartant les paumes d'un air navré de ne pas avoir offert un héritier à la Couronne, mais Charly 9 la rassure aussitôt :

— Une fille ? J'en suis ébahi ! s'exclame-t-il comme, habituellement, ne disent jamais les rois de France. Je serais, pour ma part, charmé de ne laisser aucune postérité mâle. Ah ça, ce n'est pas une chose pour quoi je veuille me ronger les ongles.

Il se met à discourir des rois et des dauphins :

— Un héritier du trône doit apprendre son arbre généalogique et les hauts faits de ses aïeux. Alors moi, quand mon fils m'aurait demandé : « Et vous, qu'avez-vous accompli comme exploit, papa ? » qu'est-ce que je lui aurais répondu ? « La Saint-Barthélemy »?

— On peut oublier cet événement... se mêle au discours l'interprète qui ferait mieux de traduire en allemand les propos de Sa Majesté.

— Non, on ne peut pas, Arenberg. Vous n'avez pas vu cette nuit déplorable ! lui rappelle sèchement le monarque aux nerfs fragiles. Mon fils m'aurait détesté, lisant en pâlissant mes sanglantes annales. Avec un long effroi, il aurait contemplé ce Louvre et maudit les jours où je régnais. Mon œuvre lui aurait fait dresser d'horreur puis tomber ses cheveux.

Je sais que dorénavant dans le monde tout s'enfuit, tout s'étonne, et gémit à mon nom.

Observant le nourrisson dans le berceau, il regrette même sa propre naissance :

— Ah, si l'on m'avait dit en cette enfance molle et rose ceci !

Maintenant, des tics à l'œil et à la lèvre, dans son manteau bleu ciel des rois, il se dirige vers sa fille :

— Petit passereau, je suis content que tu ne sois pas un roitelet mais une alouette…

Sa main s'approche sous le menton du bébé. Madame Portail intervient avec autorité :

— Holà ! Holà ! On ne touche pas trop au cou de l'oiseau !

— Je vais lui jouer du cor, annonce Sa Majesté en portant les doigts au huchet accroché à sa ceinture.

— Non, non, tout comme la main, plus loin aussi la trompe de chasse, mon petit Charl…

17

Fleurs de camomille flottant à la surface d'une eau bouillante dans un gobelet d'argent qu'il tient entre ses doigts dépassant de mitaines en laine, Charly 9, caressant aussi avec tendresse le long museau d'un lévrier, ne comprend pas :

— Comment ça, toute la France rurale est maintenant malade et même, en partie, se meurt à cause de moi ?!

— Ben oui, Sire, argumente un secrétaire assis devant la tapisserie au cerf dans le cabinet du monarque. Vous avez, l'automne dernier, exigé qu'on mette enfin en application l'édit de Roussillon qui change la date du début de l'année. Avant, c'était autour du 1er avril. Maintenant, c'est le 1er janvier.

— Et alors ?... souffle le roi sur sa tisane fumante dans cette salle où, en plus du feu de la cheminée, on a installé, en haut de trépieds, des bassines de métal emplies de braises tandis que le givre paillette à la fenêtre en une météo polaire.

— Ben, reprend le secrétaire face au souverain qui gratte des ongles entre les yeux du lévrier à poil ras, les fêtes paysannes du jour de l'an n'ont plus lieu à la même saison, Majesté ! C'était au printemps. Avec vous, c'est au début de l'hiver et comme cette année…

— Oui, je sais, ce sera glacial jusqu'à mi-février.

— Sire, poursuit le secrétaire emmitouflé qui souffle sur ses doigts gercés, depuis des siècles, les paysans avaient pris coutume de revêtir la fine toile de coutil de leur habit d'été pour fêter le nouvel an en plein air dans les champs. Malgré le changement de date, ils ont voulu perdurer la tradition vestimentaire. Résultat : en ce 1er janvier 1573, ils ont tous failli mourir de froid bien sûr ! On a retrouvé quantité d'enfants, de vieillards gelés. Les autres, au mieux, sont alités avec des fluxions de poitrine. Beaucoup partent des poumons sans autres remèdes que des « benedicat » d'espoir envers Dieu et des « maledicat » pour vous.

— Rooh… se désole l'altesse, glissant une paume sur le dos de son chien longiligne bâti pour la course au garenne. Moi qui croyais bien faire… Dans le royaume, selon les provinces, le jour de l'an variait. À Vienne, c'était le 25 mars, à Nancy le jour de Pâques, à Toulouse et en beaucoup d'endroits le 1er avril. Il fallait bien finir par unifier cela, hil de pute macarel et mille pines du tonnerre de Dieu !… J'ai opté pour le premier du mois qui suit le 25 décembre, date de naissance du Christ. Il me semblait que c'était quand même plus logique qu'autour de Pâques et de sa résurrection ! Je pensais qu'on me remercierait…

— Ben c'est raté, Majesté. Un très grand nombre de réfractaires promettent de se venger d'une drôle de manière, ne comprenant pas que vous n'ayez eu l'idée pourtant simple de placer le jour de l'an au début du printemps et surtout après le dernier signe du zodiaque.

— Que feront-ils ?

— Je ne sais pas.

— Tant de gens encore morts à cause de moi, quel dommage.

Cajolant de la main gauche le lévrier très attaché à son maître, Charly 9, de la main droite, s'empare d'une dague accrochée près du huchet de sa ceinture. Le temps de luire et la lame tranche la gorge du chien qui tombe à ses pieds ! Le cerf de la tapisserie en cligne de l'œil. Le roi se lève devant le lévrier étalé dans une mare de sang :

— Oh, que c'est dommage aussi, ça ! Moi qui voulais aller à la chasse… Et ce chien était si gentil qu'il aurait fallu l'épargner.

18

Ganté en peau de lévrier, Charly 9 déboule de nuit, vêtu d'une tenue de veneur, dans un appartement bourgeois dont la porte de la chambre s'ouvre sur un flot de lumière brutale. Il tient entre ses doigts deux cages métalliques à barreaux pleines de lapins étonnés et salue d'un minois bouffonesque une belle jeune fille un peu grasse alanguie sur les coussins d'un lit :

— Ah, Marie Touchet, anagramme de « Je charme tout » !...

— Il n'y a pas de « i » dans « Je charme tout », conteste la voluptueuse blonde.

— Les « i » et les « j » ne s'écrivent-ils pas de la même manière en notre époque ? Quelle ignorante, cette huguenote ! réplique le roi.

Le chapeau de Sa Majesté est plus garni de plumes qu'une autruche n'en peut fournir.

— Désireux d'enfouir un peu ma tête chez toi, me voilà !... échappé du Louvre par une porte dérobée et arrivé sans grand embarras d'armée mais à dos de mule jusqu'à ta rue du Monceau-Saint-Gervais, dit-il à celle qui s'étire entre les rideaux écartés du lit à colonnes.

Le monarque ouvre ses deux cages et aussitôt les garennes s'en évadent. Charly 9 leur annonce :

— Puisque cet hiver est trop rigoureux pour traquer la bête en forêt, je vous chasserai là. Aux armes, Majesté, se crie-t-il à lui-même ! Qui est bon catholique, il est l'heure qu'il le montre ! Les lapins veulent tuer les prédicateurs et les papistes !

— Les huguenots, Sire, corrige la délicieuse protestante.

— Hein ?

— Pas les lapins, les huguenots…

— Oui, c'est ça, les lapins.

Coutelas de chasse au côté qu'il ôte du fourreau et avec ses hautes bottes de cuir épais à grosses semelles, il course dans l'appartement de Marie les rongeurs à grandes oreilles. Ceux-ci bondissent partout. Lui, sautille d'allégresse et se donne plaisir. Il crie qu'il est seul roi de France ! Que de sang, de meurtres et de rage à travers les pièces où l'altesse poursuit les lapins. On entend derrière une cloison des boucans de meubles renversés, de chaises virées à coups de bottes, et ceux de vases qui se brisent en éclats sur les dalles. À cela se mêle le cri horriblement strident d'une trompe de chasse dont il joue très faux et qui, il faut bien le reconnaître, fait plus de bruit que de musique.

— On t'entend de loin, s'amuse, nonchalamment accoudée au lit, la blonde langoureuse. Et quel son ! Comme il est nourri !

Elle se parfume avec une poudre de Chypre. Vernis, voiles vaporeux, trop de linge et des bagues, elle se sert un vin sucré dans un verre à patte, écoute, yeux baissés, le vacarme. Elle relève les paupières pour voir le roi traverser dans l'autre sens la chambre en hurlant après la peau de ses gants : « Allez, chasse, chasse, lévrier ! » La main dextre gantée et aimée mord, de son unique dent de fer, le corps des garennes. Marie Touchet contemple la scène de désordre dont sa chambre devient le théâtre. La bougie près du lit semble un reproche muet pour cette nuit d'orgie.

« Ah, je vous tiens, vous ne m'échapperez plus ! Et toi, va-t'en dire à ton Dieu qu'il te sauve à cette heure ! », crie le roi après un lapin qui se jette en l'air contre un mur percé de vitraux monotones. Charly 9 l'assassine contre un montant de pierre divisant la fenêtre et le gibier glisse dans une verticale traînée de sang.

Le velléitaire, pris de démence, ne peut plus maîtriser sa fureur. Il sonne du cor à perdre haleine. Tant de cavalcades maintenant également dans une autre pièce d'où l'on entend monter des éclats de rire. Il fait un bruit de diable, voulant un mal mortel aux garennes. Il les menace, les injurie, les frappe. Il vaut mieux ne point trop savoir comment il les étrille là-bas aussi. Il ne prêche que boucherie. Étrange facétie et tapage nocturne, les voisins excédés sortent dans la rue.

Cordiers, corroyeurs et chaudronniers se demandent qui peut bien foutre un tel bordel à cette heure avancée. Lanterne à la main, un tavernier de la ville, couvert d'un manteau noir par-dessus sa chemise de nuit, répond :

— C'est celui qui a déclenché la Saint-Barthélemy.

Orfèvres, ivoiriers, chapeliers, observent la façade
aux pans de bois décorés et chapiteau de pilastre avec
ses figures de grotesques sculptées. Un drapier tend
le poing vers la demeure :

— Valois, un jour viendra, tu seras enfumé !

Après ces frasques dévouées au culte de Diane,
voici le temps de Vénus. Plus de lapins en vie dans
l'appartement, le monarque revient dans la chambre :

— La prochaine fois, j'apporterai des canards que
je chasserai à l'arquebuse.

— Charly, tu agis ainsi dans l'appartement de ta
teutonne ? Tu peux me le dire. Je ne suis pas jalouse.
L'Allemande ne me fait pas peur.

— D'elle, je prends grand soin. C'est ma tenue
du dimanche. Je la mets peu afin de ne pas l'abîmer
ni qu'elle me fasse un héritier tandis que toi, putain
comme chausson…

À quoi, se levant pour lui donner un grand soufflet,
Marie Touchet rétorque : « N'avez-vous pas honte de
me dire cette parole ? » Lui, la repousse sur le lit :

— Je vais te servir avec tous les honneurs pos-
sibles.

— Et j'aurais tes hommages ?…

— Ah, parbleu, tu les auras souvent ! promet-il à
celle qui dénoue les aiguillettes de cette partie du
costume masculin attachée aux hauts-de-chausse par
ses deux angles supérieurs.

Devant la braguette ouverte, Marie Touchet
s'étonne :

— Qu'est ceci ? Un limaçon qui sèche dans sa coque ? Ah mais non, c'est fleur qui pousse et sève qui monte.

Sa voix est sans éclat. Sa chemise glisse sans bruit. Le roi la rejoint dans l'ampleur des coussins de son lit. Un an de plus que lui, elle le prend dans ses bras et lui dit : « Je suis ta huguenote âme et tripes... » Et l'on dirait que les rideaux bougent.

Les cheveux de Marie, comme ça tombe longs. Les doigts de Charly se piquent au jeu dessous la taille et plus bas. On perçoit des frôlements de soie. La maîtresse royale, de condition médiocre, a un rire franc et une grâce féline malgré un ventre un peu arrondi. Elle est d'une beauté paysanne très désirable avec, en sus, un tortillement frivole des hanches pour faire... appelons ça « rêver ».

Tous deux se font maintenant bonne guerre. Lui, avec la même ardeur que dans tout ce qu'il fait, danse la gaillarde sur elle. Son âme, dans cet éden, boit à flots l'idéal. Elle, force et santé comme le pain et l'eau, s'épanouit toute de vice à ce jeu. Passionnée par ce type d'ébats, elle est experte en choses de l'amour avec des masses de malices et plus d'un joli tour. D'ailleurs, elle renverse son amant royal et se trouve maintenant sur lui. Tiens, avec ça qu'elle n'est pas à cheval sur un pal ! Elle l'aime au trot et au galop. Son ventre remue. On dirait des amants qui seraient des amis. Nul serment, le tout donné sans rien de promis avec des rires et des larmes, tel au hasard. Lui, dit : « Ton rire éclaire mon cœur comme une lanterne une cave. Tu sèmes de fleurs le bord béant de mon précipice. La croix me prend sur ses ailes. » Quels propos de fou ! Les bougies en flambent comme des yeux levés alors que sonnent tant d'heures peu vierges. Il lutte sans repos ni remords, dans l'adultère de ce corps-à-corps, veut jouer du cor. Elle l'en dissuade :

— Tu es gentil, Charly 9, mais pas trop dans les oreilles.

19

— Elle est passée juste sous la corde ! Nous sommes trentains.

— Tu plaisantes, Mes Chers Yeux ! Mon revers l'a envoyée bien au-dessus.

— Mais regarde, Henriot, les franges bousculées de la corde bougent encore.

— C'est, derrière Hercule, l'air, par la petite fenêtre qu'il a ouverte à cause de mon fumet, qui les remue.

— Raah... Je n'aime pas qu'on m'appelle comme

ça ! râle un petit mec tordu et très laid de dix-sept ans. À toi de servir, Charly 9.

— À moi de servir ?! Comment ça, à moi de servir ? Qui est le roi, ici, toi, Hercule ? Balles neuves !...

En cette salle de jeu de paume du Louvre au sol carrelé et spectateurs assemblés dans une galerie couverte, le roi de France et Henri, roi de Navarre, jouent en double contre Henri, duc d'Anjou, et le cadet difforme des Valois : François, duc d'Alençon (dit Hercule).

— Balles neuves ! répète Sa Majesté. Balle !

Un valet-gentilhomme assis sur le carrelage devant un seau en bois contenant les balles personnelles du roi lui en lance une. Le monarque l'envoie à son tour en l'air, prend son élan et, des boyaux du cordage de sa raquette, il frappe. L'éteuf file tout droit. La peau de mouton cousue qui le recouvre tournoie et vient violemment heurter le front, déjà disgracieux, du duc d'Alençon qui en est étourdi.

— Balle !

Le roi arme à nouveau son bras droit et vise encore le gnome François :

— Alors Hercule… il paraîtrait, d'après la Magicienne Florentine, que tu aurais fondé le parti des Malcontents, hein ?! Comme si je n'étais pas déjà assez emmerdé par un frère, il faut que l'autre s'y mette également, hein ?! Balle ! J'avais déjà en France les catholiques, les protestants, et maintenant j'ai aussi les Malcontents… un peu catholiques, un peu protestants, en tout cas pas contents. Balle ! Mais quand allez-vous tous arrêter de me faire chier, filz

94

a putein ?! Sang du Christ – que le chancre le bouffe –, vierge enceinte, pute vierge ! Balle ! Balle ! Balle !...

Charly 9 bombarde littéralement son petit frère à coups d'éteufs lancés d'abord par son valet. Le visage du duc d'Alençon ravagé par la petite vérole (il semble avoir deux nez) s'emplit de nouvelles blessures tandis que, cherchant à se protéger ou à fuir, il crie :

— Mais ils ne sont pas garnis d'étoupe de laine tes éteufs ! Qu'est-ce que tu as mis dedans ?

— Des cailloux ! Balle !

Maintenant, le roi vise Anjou :

— Quant à toi, Mes Chers Yeu-eu-eux..., l'un des instigateurs du Grand Massacre, tu peux te féliciter de ton stratagème car la postérité ne retiendra que mon nom qu'elle chargera de sa réprobation éternelle. Conseiller perfide qui m'a poussé aussi à l'abîme, tu auras le bénéfice de l'oubli ! Vilain, voleur, sacrilège noir, pendard, larron, putier...

Bref, il emploie pour dénigrer son autre frère toute la rhétorique des tripières du Petit-Pont. Il dégaboule aussi contre leur mère commune mille injures, exécrations, vilenies, et plein d'autres petits mots pareillement scandaleux pour les gens d'Église.

Jeu de paume, jeu de vilain, notez la ruse et la méchanceté soudaine de ce joueur-là. À coups de pierres enveloppées dans de la peau de mouton, lui, le monarque en longues grègues cousues dans du dos de lévriers, tente de lapider Anjou :

— Balle ! En France, il ne peut exister deux rois ! Il est urgent que tu quittes mon royaume pour te chercher une autre couronne où tu voudras. J'ai l'âge de gouverner et ferais savoir à mamma qu'elle n'est plus ma régente !

Les yeux de Charly 9 sont brillants comme des flambeaux. Il jure comme un païen, ne mesure plus ses paroles ni ses gestes :

— Balle ! Il faut pour vrai que je te casse la tête ! Balle !

Le fils préféré de Catherine de Médicis, tout en se protégeant des avant-bras, loue fort peu le roi de cette gentille cérémonie. Monsieur n'aime point tant les exercices violents que l'aîné, sujet depuis l'automne de l'an dernier à des crises de nerfs et brusques accès de fureur.

— Balle !

Quelle partie de jeu de paume ! Elle épate la galerie surtout que le roi se tourne maintenant vers son propre partenaire sur qui il vomit également sa rage en lui disant n'importe quoi, qu'on ne devrait pas l'appeler aussi le Béarnais parce qu'il n'a rien à voir avec le Béarn pas plus qu'avec le royaume de Navarre dont il est roi par fantaisie.

— En plus, on me dit que tu t'es rangé du côté d'Hercule et ses Malcontents ! Violeur de vierges et de nonnains, j'aurais dû te trancher la gorge le 23 août ! Balle !

— Cape de You ! (tête-Dieu en béarnais) s'exclame le prince Bourbon touché au crâne.

L'Henriot aux effluves de poisson pourri, rejoignant le disgracié Alençon qui claudique et Anjou en sang qui ramasse à la hâte des traînes et des rubans, ne demande pas son reste devant la petite fenêtre tandis que Charly 9 se marre :

— Regardez-moi ces anguilles qui crient avant qu'on ne les écorche ! Balle !

Les ricochets multipliés des éteufs sur les parois les touchent encore alors que les trois filent par la fenêtre. Anjou, aux cheveux jaune citron, maquillage de prostituée qui ruisselle, s'empêtre dans des dentelles :

— C'est un malade, ce gars-là ! Il ne joue pas pour jouer mais pour tuer.

Charly 9 a effectivement l'air d'un dingue comme s'il avait vu et battu en trois sets les mers et les golfes du Levant. Il brise sa raquette contre un mur, s'empare du pistolet de son valet-gentilhomme et... Balle ! Il s'en tire une dans la bouche mais seule l'amorce prend feu.

20

— Majesté, en fait, vous auriez dû les désosser par les reins…

— Hein ?

Charly 9, ses pensées encore dans la fameuse partie du jeu de paume, s'offusque :

— Oh ben non ! J'étais en colère et je sais bien que je suis le roi de la Saint-Barthélemy mais de là à désosser par les reins mes frères et mon beau-frère… quand même !

— Sire, je vous parle de ces alouettes à farcir.

— Ah oui… Pardonnez-moi, Margeollet. Je ne sais plus où j'avais la tête.

La tête du roi de France se trouve dans la cuisine du Louvre où l'on fait sauter à la poêle quantité de foies et d'intestins d'alouettes pour les piler en farce fine. Des cuisiniers et des sauciers s'affairent autour d'un plat de chèvre à la sauce verte. Des harengs et du porc salé pendent du plafond par-dessus des cagettes de navets, blettes, épinards et laitues. Le saindoux rissole les viandes et même les pâtisseries devant de pâles marmitons. Plusieurs cassolettes répandent un parfum sur une table de chêne noircie par la graisse et la fumée. Les apprentis, manches relevées, attisent le feu tandis que le rôtisseur, couteau de cuisine au fourreau de sa ceinture, reçoit deux paniers de perdreaux et ordonne :

— Allez vitement les faire coucher à la broche ! Je veux qu'on réserve pour le roi ceux qui ont été peu pincés par l'épervier.

Puis il porte à ses lèvres un gobelet qu'il repose aussitôt pour y ajouter de l'eau :

— Le vin breton doit être mouillé à beaux sabots !

Quelqu'un frotte une échalote sur du pain d'orge. Entre des batteries de casseroles, de pots, de plats astiqués, les taches claires des tabliers circulent autour de Charly 9 qui cherche parfois ici l'oubli de lui-même comme dans les forêts.

Vêtu d'un manteau de velours violet aux manches bordées de fleurs de lys, il est assis sur un banc face à une table où se trouvent quelques alouettes déchiquetées, carcasses explosées, qu'il tentait maladroitement de désosser sans y parvenir. Son regard devient sombre. Il baisse la tête, ferme les yeux puis les ouvre tout d'un coup et les referme brutalement :

— Je ne réussis rien. Je ressemble à ces chiens qui sont entrés dans l'eau et qui ne peuvent regagner le bord car le courant les emporte si bien qu'en nageant toujours à la fin ils se noient. Aussi, moi, je fais ce que je puis en cette tempête pour me tirer sur le bord et y mettre les gens de mon royaume mais nous y sommes entrés trop avant pour en sortir, au moins moi qui sens bien que je me noie et ne puis me sauver.

Après une telle confession, le maître pâtissier

alouettier, debout près du roi, ne sait répondre que gastronomie :

— Sire, je tiens de mes aïeux qui officiaient à Fresnes la manière de préparer les passereaux. On ne peut les désosser proprement et facilement qu'en commençant par les reins. Regardez, je vous montre... Et voilà, c'est déjà fait. Sur l'alouette, maintenant bien étalée, on pourra répartir la farce puis la refermer, la tasser contre les autres dans un plat que l'on couvrira d'une gelée au vin de Madère avec des épices avant de glisser le tout au four. Voulez-vous encore essayer ?

— Je n'y arriverai pas.

C'est alors qu'entre dans la cuisine, très affolé et en uniforme, le maréchal de Tavannes – l'un des pousse-au-crime de la réunion du 23 août 1572 :

— Majesté, nous avons un grave problème avec La Rochelle !... Cette ville tombée aux mains des huguenots s'est autoproclamée république et combat l'armée du roi. Les Rochelais ont adhéré à la ligue protestante du Midi. Nos troupes qui assiègent les places fortes des parpaillots échouent devant la Jérusalem maritime. Nous entrons dans une quatrième guerre de religion ! Venez vite car la reine mère vous attend pour valider ses décisions que vous devrez endosser. Vite, Altesse !

À l'écoute de cela, le roi bascule en avant et laisse tomber son front sur la table. Il écrase ainsi l'alouette désossée et étalée par le maître pâtissier de la région d'Orléans :

— Je ne suis pas là ! Je ne suis pas là !

Le voilà qui refait l'autruche, cherchant à s'enfouir

100

dans le passereau dont il étire les ailes vers ses oreilles et les cuisses sous ses yeux.

— Je ne suis pas là !

— Majesté, nous avons coupé les vivres aux habitants de La Rochelle pour tenter de les affamer mais les navires anglais rentrent des cargaisons comme ils le souhaitent dans la rade.

— Je n'entends rien ! Je ne suis pas là !

Margeollet conseille à Tavannes qui veut insister :

— Vous feriez mieux de partir. Regardez, sa main glisse vers la feuille de boucher. Il va se retourner et vous « déshabiller » comme un porc. Le temps de crier qu'on ne vous tue pas, ce sera déjà fait.

Le vieux maréchal sort en râlant :

— Ça devient quand même compliqué de mener ici une politique qui ait un peu de tenue... Et puis, ces odeurs d'intestins qui fricassent... Je commence aussi à en avoir jusque-là du pâté de passereaux !

Le chef militaire parti, Charly 9 se redresse, une alouette collée au front et hagard :

— Il ne m'a pas trouvé, hein ? J'étais bien caché...

Le charcutier hoche la tête :

— Quand, de retour chez moi, je raconterai ça, qui me croira à Pithiviers ?

21

Parmi les cailloux et rocs d'un chemin défoncé qui longe une boucle de la Seine vers Paris, le roi à cheval sur un genet d'Espagne fait la gueule. Son grand veneur vient se porter à sa hauteur :

— Allons, Sire, ce n'est pas si grave de revenir bredouille d'une chasse à Saint-Germain-en-Laye. C'est comme à la pêche, parfois, on n'attrape rien. On n'a pas toujours petit poisson qui frétille.

— Pourquoi me dites-vous ça, duc d'Aumale ?

— Quand je vous vois, Majesté, l'œil blanc et la lèvre pincée avec je ne sais quoi d'étroit dans la pensée, je m'inquiète.

En ce royaume de France si prospère avant son règne et maintenant couvert de ruines, de champs en friche, de bourgs abandonnés, Charly 9 gouverne la bride de son cheval en contemplant le paysage. Il aperçoit là-bas un paysan qui laboure. Son profil fluet sur l'horizon marche derrière une charrue. Il en voit d'autres herser, bêcher, consulter les anciens à propos d'un nuage qui approche. Le vent cherche noise aux girouettes. Force cavaliers suivent le monarque en file indienne. L'aspect vague de la campagne change. La silhouette d'un hameau apparaît au bord de l'eau.

Indifférent aux gens mécaniques, tâcherons de bras, aux pêcheurs assis sur des barques qui réparent des filets, appâtent les hameçons de leurs lignes, le roi précipite sa monture en direction d'un mulet qui trottinait vers telle ou telle préoccupation. D'un coup de hache, Charly 9 lui tranche le cou d'où le sang coule comme d'un broc. Pulsions morbides, Sa Majesté soudain hors d'elle attaque des bêtes d'élevage, aime à voir couler leur hémoglobine, y prend un plaisir fou :

— Mort-Dieu, il faut tout tuer ! Voyez combien si j'ai ménagé la forêt, je reviendrai vainqueur des animaux de ce hameau que j'aurais assassinés.

Son courroux croît rouge :

— Poules, lapins, veaux, vous mourrez de mes mains ! Vous mourrez, suppliants, de mes mains.

Le monarque est prêt à tout le mal possible. Il file vers une cour de ferme aux beaux églantiers en bordure d'un tas de fumier. Toits à porcs et autres bâtiments peu élevés forment un carré. Attenant au logis, un appentis est ouvert où sont rangés des charrettes et des essieux. La maison en torchis a un toit de joncs cueillis au bord du fleuve. Près de la porte pendent des colliers, des étrilles, des aiguillons et des fouets.

— J'en étais sûr, je le sentais… déplore le duc d'Aumale, voyant le roi de France à pied s'en prendre aux agneaux qu'il saigne, à un cheval, aux chiens, aux chats.

— Où sont les rats ? demande le scélérat du Louvre.

Passant entre des faucilles, des serpes, des fourches, des boisseaux pleins de clous, sous les nuages coureurs d'un ciel de lait, il entre dans une étable où se trouvent un bœuf et un âne qu'il abat :

— Et l'Enfant Jésus, où est-il ? Ah, le voilà, dit-il en découvrant un canard fuyant dans la cour et qu'il poursuit.

Le palmipède affolé, bec jaune grand ouvert, court en cancanant. La main d'un paysan l'attrape par le cou et le lève face à Charly 9 :

— Fils de Dieu, mon canard ?... Certes, Sa Majesté est de bien noble esprit d'avoir trouvé cette gentille invention mais quel différend, roi très chrétien, peut être survenu entre vous et lui ?

Sa femme arrive, se tenant la tête entre les mains en découvrant le fort taux de mortalité animale dans la ferme : « Déjà qu'à la dernière fête, dans le champ derrière, la plupart des vieillards et petits enfants sont morts de froid... »

Les cavaliers de Cour descendent de leur monture. Des palefreniers, selliers, charretiers, pêcheurs du hameau approchent. Le roi éclate de rire. Soudain, sortant de son délire, il tapote un bras du paysan qui enlace le souverain.

D'autres agriculteurs et pêcheurs, mains dans le dos, arrivent. Ils entourent le monarque et ceux de sa Cour, s'approchent, se tassent contre les nobles et rient aussi. À l'altesse qui demande excuse pour la tuerie, ordonnant à Aumale d'indemniser généreusement sur-le-champ les propriétaires des malheureuses bêtes – une poule : cinq ducats, un poulet : deux, un âne..., les éleveurs pardonnent :

— Bah, même à notre époque troublée, il faut bien rire quelquefois... surtout en ce jour de l'an.

Maintenant, côte à côte sur une seule ligne, la Cour à cheval repart vers Paris en coupant à travers un long champ où se trouvent un chêne au milieu, un autre plus loin. L'altesse, pensée au vent, s'interroge à voix haute :

— Pourquoi le fermier a-t-il dit : « En ce jour de l'an »? Nous ne sommes pas en janvier.

— Oh, vous savez…, commente le duc d'Aumale qui chevauche près de lui, les gens de la campagne, les dates…

Charly 9, une main sur la bride de son coursier, se penche à demi par-dessus l'arçon de sa selle pour observer à droite :

— Ça pue. Il est avec nous, Navarre ?

— Non, répond le grand veneur.

Le roi tourne complètement son buste à gauche :

— Pourtant ça pue le poisson pourri.

— Oh, Sire !… s'exclame Aumale en tendant un bras entre les épaules du monarque, regardez ce que vous aviez accroché dans le dos par un hameçon ! Un petit poisson pas frais.

Le grand veneur se tourne dans l'autre sens pour exhiber sa prise aux courtisans en ligne :

— Regardez ce qu'il y avait pendu dans le dos de Sa Majes…

Charly 9 constate :

— Vous en avez un aussi, Aumale.

Chacun regarde dans le dos d'un autre. Ils ont tous sous le cou un poisson avarié fixé par un hameçon. Un trompette hilare, portant une enseigne, ose s'approcher du roi pour lui raconter :

— Ces poissons sont une allusion au dernier signe

du zodiaque parce que nous sommes le 1er avril. À propos, Sire, votre frère Henri va quitter la France pour devenir roi de Patagonie ou de je ne sais où et Alençon, finalement, abandonne les Malcontents pour se ranger du côté du trône.

— Ah bon ? s'étonne le roi estomaqué.

— Mais non, c'est une farce bien sûr ! s'esclaffe le trompette. Les réfractaires au jour de l'an le 1er janvier ont décidé que le 1er avril les gens se joueraient des tours pendables.

Au premier plan, le trompette, yeux exorbités, est pendu par le cou à une branche du chêne au milieu du champ et, là-bas, le hameau est en flammes. Annibal de Coconas, scintillant dans son armure, rejoint Charly 9 au galop :

— Ah, quand même !... Ils aimaient les farces, hé bien je les ai servis ! Moi, je suis comme ça. Un jour, un soldat m'a volé une poule. Je la lui ai fait manger avec les plumes. Une autre fois, mon cordonnier m'a livré une paire de bottes qui ne m'allaient pas. Je les ai fait mettre en petites pièces et fricasser comme tripes de bœuf puis il a dû les bouffer toutes devant moi, semelles comprises, en ma chambre du Louvre.

Dans son armure « écrevisse » où un gardon est encore accroché par un hameçon à l'une des bandes d'acier horizontales articulées qui font comme les anneaux d'une queue de crustacé d'eau douce, le comte bien mis, bête et s'en gonflant, poursuit le récit de ses facéties :

— Et celle-là, je vous l'ai racontée, Majesté ? Un jour, j'ai voulu tuer un gars au hasard dans la rue qui m'a dit : « Hélas, qu'ai-je donc fait ? – Si tu n'as

rien fait, cela doit te consoler, tu mourras en inno-
cent ! », j'ai répondu en l'égorgeant. Tiens, j'en ai
encore une bien bonne !... À l'ambassadeur d'Allemagne qui s'inquiétait tant d'une audience avec vous
qu'il souffrait de coliques venteuses en cherchant la
manière de passer ce désagrément, j'ai juré qu'il n'y
en avait point de meilleure qu'une dont j'usais souvent étant fort sujet à cette maladie. Je lui ai prescrit
de se mettre un index dans le cul et l'autre dans la
bouche et de les remuer changeant souvent lesdits
doigts d'un lieu en l'autre. C'est-à-dire celui du cul
dans la bouche et celui de la bouche au cul. Je lui ai
promis que moi, quand je fais si bien que les remuant
et les changeant ainsi l'espace d'une demi-heure, mes
vents se dissipent en sortant par les deux trous que
j'ai ouverts ainsi. Monsieur l'ambassadeur l'a cru !...
et, y voyant de la probabilité, en fit l'essai dans votre
antichambre une bonne demi-heure et à bon
escient ! Ah, ah, ah !... il faut bien rire comme
disaient tout à l'heure au hameau les paysans maintenant défunts...

Annibal de Coconas est pendu par les pieds au
deuxième chêne du champ. Dans sa cuirasse, il ges-
ticule et ressemble à un gardon scintillant au bout
d'une ligne, affirmant qu'il ne comprend pas, qu'il
est pourtant un des plus fidèles au roi. Le cheval de
Charly 9, qui frappait la terre du sabot et mâchait
son mors avec impatience, reprend sa marche alors
que Sa Majesté résume :

— Je n'aime que les farces dont je suis l'auteur
et espère que cette histoire de 1er avril ne se répandra
pas ni ne deviendra une habitude.

22

— Par les couilles du Christ, j'avais dit que je voulais voir mes artistes préférés après la messe, pute borgne de trou du cul du Tout-Puissant, pour qu'ils m'apportent calme et beauté ! Où sont-ils, Dorat ? Il n'y a donc que vous qui êtes venu ? Le sculpteur Jean Goujon, depuis la cour carrée, n'a pourtant qu'à grimper l'escalier mais d'ailleurs je ne le vois plus autour de ses statues monumentales.

— Forcément, il fut arquebusé sur l'échafaudage où il cherchait refuge.

— Ah bon ? Quand ça ?

— Ah ben, quand ça… Sire, il était protestant… Pour la même raison, vous pouvez constater l'absence du grand philosophe Ramus égorgé chez lui, du magnifique musicien Goudimel en visite à Lyon et jeté dans le Rhône, du merveilleux potier Bernard Palissy qui a fui en Alsace où il mène dès lors une vie d'errant…

— Raah !… se désole Charly 9 en son cabinet où il remue d'un doigt des fleurs jaunes de millepertuis à la surface d'un verre d'eau qu'il boit d'un trait. J'ai condamné et fait tuer mes artistes préférés… Je vous avais invité, vous, Dorat ?

— Non, mais comme je savais qu'il vous manquerait du monde, j'ai pensé qu'un poète...

Le jeune roi debout, bas blancs et main sur le pommeau d'une épée, fronce les sourcils en évaluant son interlocuteur, ride quelques sillons apparus à son front :

— Bon, heureusement qu'il me reste Ronsard, quoi...

Dorat masque tandis que le monarque demande :

— Mais à propos, où est celui qui écrit des poèmes qu'il fait bon lire et relire comme on respire une atmosphère pure ?

Dorat persifle :

— Oh, il doit cueillir de la salade et rimer sur la manière de l'assaisonner : *« La blanchirons de sel en mainte part, / L'arrouserons de vinaigre rosart, / L'engraisserons d'huile de Provence ; / L'huile qui vient des oliviers de France / Rompt l'estomac et ne vaut du tout rien »*... à moins qu'il ne conte fleurette à une trop jeune fille – sa seconde manie – en lui expliquant qu'elle serait fort sotte de le refuser, que sinon *quand elle serait bien vieille le soir à la chandelle* elle le regretterait drôlement... que si elle ne le fait pas par plaisir elle devrait quand même se forcer pour que, dans les siècles à venir, on se souvienne toujours d'elle qui aura eu la chance d'être célébrée par môssieur du Ronsa-a-a-ard... Bon, d'accord, il tourne habilement la rime mais la prétention de ce versificateur ! Quand il compose un sonnet de dix lignes, sa signature prend la largeur de la page.

Ronsard

Dorat murmure encore sa rancœur envers l'illustre confrère (« Ah, s'il avait pu être protestant, ce con-là ! ») tandis que l'altesse remarque, à l'œil du cerf de la tapisserie, les plis roses d'une oreille qui tente de mieux entendre le jaloux revendiquer :

— Moi, Sire, je pourrais écrire un long poème à votre gloire.

Charly 9 se dirige vers le mur de la tapisserie qu'il longe ensuite du dos en répondant à Dorat :

— Ah ! N'écrivez rien d'élogieux sur moi qui n'ai donné encore nul sujet d'en bien dire mais réservez ces beaux écrits à d'autres…

Huchet à la main, soudain le monarque pivote vers l'œil du cerf dans lequel il souffle du cor à s'en exploser les poumons.

Il y a un bref silence puis on entend de l'autre côté de la cloison un bruit de pas de personne saoule. Le roi va ouvrir la porte de son bureau donnant sur le couloir. Une blondinette – espionne de l'escadron volant de la reine mère – sort de la pièce d'à côté en titubant, sonnée, comme estropiée du cerveau pour des mois. Ronsard qui, panier de salades à la main, arrivait enfin vers le cabinet royal la croise. Il fait aussitôt demi-tour. En habit noir, col blanc, il prend par le bras la blondinette chancelante, repart dans l'autre sens avec elle en lui proposant :

> *Mignonne, allons voir si la rose*
> *Qui ce matin avait déclose*
> *Sa robe de pourpre au soleil*
> *À point perdu cette vesprée...*

La blondinette tourne la tête vers le poète :
— Commeint ?!

23

En deçà de la lettre « K » pour Karolus en latin, Charles IX – Charly 9 ici – est assis aussi sous sa devise romaine : *Pietate et Justitia* (Piété et Justice). De chaque côté de ces écritures gravées dans le calcaire blond de la façade de l'aile sud du Louvre donnant sur la cour carrée, le frontispice est illustré de bas-reliefs en chantier entourés d'échafaudages abandonnés aux fientes des oiseaux.

Trousse chamoisée et fesses sur la première marche d'un escalier qui mène au château, Charly 9 a près de lui un grand vase de Bernard Palissy, un livre de Ramus. Il pianote des doigts sur un genou une mélodie de Goudimel puis se prend la tête dans les mains.

L'étonnant jeune homme, qui n'aura vingt-trois ans que fin juin prochain, est pris d'affreux sanglots qui le secouent sous son pourpoint. Et il se pleure, s'essuie les yeux, dans une pensée qui le hante et le fatigue. Tout beugle en sa cervelle ainsi qu'un troupeau au pré.

Le long roi aux cent mille morts (sans compter les animaux) mince et peu large d'épaules est épouvanté par son propre succès. Ses lèvres qu'auréole maintenant un duvet noir en tremblent. Malade de regrets et de quels regrets !… il est là, solitaire, comme tapi dans l'herbe. Sur la peau nue de ses mains, ses mains calamiteuses, les ombres des nuages roulent des taches abstraites et il n'est plus rien en somme !… sauf pour l'archer qui le veille au créneau de la tour et pour sa mère près de son frère Henri, qui l'observent tous deux depuis une fenêtre de l'aile nord.

— Il marine encore son remords, essore son dégoût… dit l'accent italien de Catherine de Médicis.

— Le remords, c'est un rat mort dont l'odeur pue ! s'esclaffe le duc d'Anjou, tenant dans une main le rideau tiré qui dégage en partie la fenêtre.

Vu de la cour, derrière la vitre, les lèvres épaisses de la reine mère remuent :

— Tu vois, Mes Chers Yeux, moi qui interdis les représentations de tragédies au théâtre du Louvre par crainte qu'elles ne portent malheur, je ne regrette pas l'arquebusade reçue par Goujon car, de l'autre côté des échafaudages, je n'apprécie guère les thèmes des bas-reliefs qui entourent ton aîné. J'espère qu'ils ne seront jamais terminés.

— Ils représentent quoi ? On ne voit pas bien d'ici… Il y a d'un côté un gars bouclé et de l'autre un barbu qui se crèvent chacun un de leurs yeux avec une dague, c'est ça ?

— C'est ça.

— Effectivement, ce n'est pas gai… cligne de l'œil Anjou aux paupières et longs cils très maquillés.

À son fils préféré, chaussé de bottines lardées de cordons d'or et bordées de perles, la veuve aux voiles de deuil explique les deux frontons inachevés :

— Ils reprennent la légende du juge Zaleucus qui, devant condamner son propre fils à avoir les yeux crevés, ne l'a contraint qu'à l'ablation d'un œil mais qui, pour que justice soit respectée, s'est mutilé lui-même un œil également.

— En voilà un sacrifice ! pouffe Henri habillé comme un perroquet. Tu ferais ça toi, si tu devais condamner à même punition ton fils ?

— Quel fils ?... murmure la mère en contemplant là-bas son rejeton royal assis au teint devenu gris, pétrifié et semblant statufié tel un héros de tragédie antique.

Mes Chers Yeux sourit :

— Et là, c'est bizarre aussi la fille qui donne le sein à un vieillard sur le troisième bas-relief...

— Il illustre l'histoire de la belle Péro qui lors de visites en une prison romaine allaitait en cachette son père condamné à y mourir de faim. Tu m'allaiterais, Henri, si j'étais à la place du père et que tu faisais la fille ?

Anjou relâche de ses phalanges baguées le rideau qui se rabat devant la fenêtre, se retourne et rit :

— Mais je fais la fille !... Demande aux garçons. Mes mignons me trouvent... charmante !

24

Encore en bonnet et chemise de nuit alors qu'on voit par une fenêtre qu'il fait grand jour et ruisseler le long des vitres unie abondante pluie de printemps, le roi cavale pieds nus sur le marbre des salles du Louvre. Il y fout un boucan de tous les diables. Dans la Petite Galerie qui longe la Seine, il pourchasse des lapins, glaive au poing.

Une porte s'ouvre sur le côté et apparaissent, comme glissants, Catherine de Médicis près de son fils Henri qui s'étonne :

— D'où vient cette arme que je ne lui ai jamais vu porter ?

— C'est l'épée bénite offerte par le pape.

À furieux coups d'épée bénite reçue en remerciement de la Saint-Barthélemy, Charly 9, parce qu'il pleut trop pour aller en forêt, fracasse des pieds de meubles sculptés et dorés sous lesquels se planquent des garennes tremblants. Il chasse entre les murs mêmes du palais au grand désarroi de sa mère :

— Ah, elle est belle la France avec un roi pareil. Il va falloir faire quelque chose…

— Le tuer ? salive Anjou, remontant, de ses ongles maquillés, des flots de dentelles autour de son cou blême. Offre-lui de tes gants « parfumés ». Ça le changera de la peau de chien. C'est bien ainsi que tu as fait pour te débarrasser de la d'Albret, là… la mère d'Henriot ? Dans ton armoire aux poisons, friandises au curare, tu trouveras bien encore de quoi enduire de senteurs mortelles l'intérieur d'une paire de gants.

La mère ne répond pas. Le fils chéri insiste :

— Allez, mamma, ne me dis pas que c'est impossible… En plus d'une foule de mages et d'astrologues, tu t'es entourée d'un si grand nombre d'empoisonneurs italiens, qu'on nomme le Louvre : Égout d'Italie.

Catherine de Médicis, Magicienne Florentine particulièrement douée pour ourdir des machinations, complots, guets-apens, trahisons en tous genres, fort habile en diplomatie truquée, dés pipés, regarde son aîné. Il court, glisse sur les dalles, se relève, se lance dans des hauts bonds, la bite soudain à l'air sous sa chemise de nuit qui remonte jusqu'au ventre alors qu'Anjou poursuit son désir de régicide à l'oreille de mamma :

— Sinon, tu pourrais réclamer à ton astrologue Cosme Ruggieri la confection d'une poupée de cire à l'image du roi qu'on percerait d'aiguilles.

La reine mère – louve qui boit le sang et fait des morts son pain – est surprise par Charly 9 à l'œil rougi qui passe non loin d'elle sans même la remarquer, tellement à la recherche d'autre gibier dans le palais :

— Il se laisse pousser la moustache et la barbe maintenant ?

— J'ai aussi entendu, mamma, ton devin René

évoquer la poudre de corne d'un lièvre marin qui languit une personne, la fait s'en aller en quelques mois et s'éteindre comme une chandelle...

Des Suisses déboulent, alertés par le vacarme au rez-de-chaussée du château. Le monarque, confondant les plumes de héron qui les coiffent avec celles d'un plumet d'alouette, leur court après. Épée bénite en avant, il les appelle, s'adresse à eux comme à des passereaux :

— Petits, petits...

Les soldats s'enfuient vers la cour carrée avec le roi de France en chemise de nuit à leurs trousses dans les flaques :

— Petits, petits !...

Au spectacle de cette comédie qu'elle considère comme une tragédie, la reine mère décide :

— Il faudra penser à lui faire signer une lettre indiquant que, s'il lui arrivait malheur, il te désigne comme son successeur.

La porte se referme doucement sur eux deux.

— Oh, mille pines de Dieu bouffées par le chancre, qu'est-ce que j'apprends ?!

— C'est comme je vous le dis, Sire : la France
est ruinée. Votre État bâille de tous côtés, lézardé
comme une vieille masure qu'on raccommode chaque
jour de quelques pilotis mais qu'on n'empêche pas
de tomber.

— Vous en êtes certain, Pierre de L'Estoile ?

— Certain ! lui répond le grand audiencier de la
chancellerie de France en cette théâtralité d'une salle
du Louvre où le roi tient Conseil étroit. Le royaume
est si exsangue et diminué de moyens que jamais
dans l'Histoire on n'a vu ses finances en eaux si
basses.

— Ah, par la rate de Dieu, je ne savais pas qu'on
en était là !

— Sortez dans les rues, Majesté, et vous verrez
ce que je vois affiché aux étals : la hausse des prix
des denrées, du vin, du bois. Tout a tellement aug-
menté que Paris est maintenant un nouveau paradis
où se paie un écu la botte de radis. Un écu, c'est
bien plus que ce que gagne une servante dans
l'année ! La viande est devenue si chère que même

beaucoup de bourgeois n'en peuvent plus acheter, contraints de manger des herbes crues poussées dans les venelles ce qui est une chose hideuse et pitoyable à voir. Ce qui est bon marché à Paris, ce sont les sermons. On y repaît de vent la population affamée. Catholiques et protestants soufflent leurs poisons sur un peuple égaré.

— Ah, par le ventre de Dieu ! jure Charly 9, manquant de se rompre les mains à force de frapper sur les bras de son fauteuil qui ne sont pas cotonnés.

Le roi se lève, passe devant sa mère qui ne dit rien alors que l'audiencier poursuit :

— L'horizon est plus sombre que jamais. Vidés de tout leur argent, les Français jouissent à peine de l'air. Hier, j'ai croisé devant le Louvre un homme en habit qui mangeait du suif à chandelle. Je lui ai demandé s'il n'avait rien trouvé d'autre pour se nourrir. Il m'a répondu que non et qu'il y avait plus de huit jours que cette nourriture lui servait de pain à lui, sa femme, et à leurs trois enfants.

— Par la cervelle de Dieu !… blasphème le monarque qui va dans la salle, bras ballants et sans but.

On le voit changer de couleur et laisser tomber son chapeau plusieurs fois pendant qu'il écoute Pierre de L'Estoile relater encore :

— Monseigneur, ces pauvres gens que vous voyez des fenêtres de votre château meurent d'angoisse et de faim. Sous l'auvent des boucheries, on ne trouve plus exposés que quelques pièces de vieilles vaches, des graisses de chevaux et d'ânes qui pendent, des rats.

— Oh, là, là… Par le sang de Dieu !

— Heureux sont ceux qui peuvent manger des tripes et des boudins de chats faute de morceaux friands.

— Par la morve de Dieu !

— Votre peuple se nourrit d'os broyés de têtes de chiens, chose qui montre une grande extrémité.

— Par le cul de Dieu !

— On vend les peaux cuites de ces bêtes aux plus démunis qui les dévorent.

— Par les dents de Dieu !

La reine mère, qui n'en peut plus de son exécrable blasphémateur de fils, l'engueule :

— Mais arrête de jurer Dieu, ses dents, sa tête, son corps, son ventre, sa barbe et ses yeux ! et de le prendre par tant de lieux qu'il est dans ta bouche, haché de tous côtés comme chair à petits pâtés. Tu es le roi ? Alors trouve des solutions !

Le soir même et les suivants, le roi, torse nu et en nage, est à la forge du Louvre. Il y cogne tel un maréchal-ferrant, lui qui s'amusait autrefois à réaliser des canons d'arquebuse, fers à cheval, et savait en faire de très bons. Sa silhouette presque toute rongée par la lumière élève un bras armé d'un lourd marteau et frappe régulièrement dans des explosions d'étincelles. Le bruit en résonne jusque dans la basse-cour du Louvre. Sueur humaine, cri du métal, quel horizon de forge rouge !

26

— Regardez ça !

— Qu'est-ce que c'est ?

— Une pièce de monnaie que j'ai forgée !

Sous la voûte ornée de sculptures d'un escalier du Louvre – le « Grand Degré » –, le roi a rejoint sa mère et son frère Anjou, qui s'entretenaient avec un ecclésiastique en bas des marches. Charly 9 a tendu son œuvre au prélat pour connaître son avis :

— Qu'en pensez-vous, monsieur le cardinal de Lorraine ?!

L'interlocuteur saisit la rondelle entre les doigts de ses gants rouges et la soupèse.

— Oui, bon, c'est léger ! s'agace le monarque. C'est un teston en fer mais quoi, je n'allais pas prendre de l'or ou de l'argent non plus ! Vous savez combien ça coûte ?!

L'homme d'Église retourne la chose, en contemple le revers aux fleurs de lys écrabouillées puis l'avers où l'on voit, sous un front ceint de laurier, un profil d'enfant abîmé.

— Les défauts à la joue ressemblent aux rides qui me viennent précocement. J'y suis plus ressemblant que sur les traditionnelles, non ?

Le dignitaire catholique ne sait que répondre alors que Sa Majesté très excitée s'enflamme :

— C'est un premier essai, hein !

— Ah, parce que vous comptez en forger d'autres ?

— Plein ! Et aussi des écus soleil (peints en doré bien sûr), sols parisis, douzains, liards, deniers…

— Tu veux faire de la fausse monnaie ?

Demandant cela, Anjou écarquille ses yeux tandis que pour ceux, globuleux, de la reine mère, c'est déjà fait :

— Mamma mia…

Le cardinal se glisse une main dans le dos en s'interrogeant :

— Sommes-nous le 1ᵉʳ avril ? Ben non, c'était il y a presque deux semaines…

Charly 9 aimerait comprendre le manque d'enthousiasme du prélat lorrain :

— Vous ne trouvez pas ma pièce assez ronde ?

— Non, la rondeur, ça va… C'est surtout à quoi sert-elle ?

— À quoi ça sert ? Eh bien, mes sujets vont pouvoir s'acheter ce qu'ils veulent avec !… du pain, des brassées de radis, de bons morceaux de bœuf gras dont les boucheries regorgeront, je ne sais pas, moi. Tout ce qu'ils veulent, quoi !

Anjou se met à rire d'un bruit de moulinet alors que le souverain tend un bras à la César avec, au bout, la petite pièce à son effigie :

— La France a un problème, je le résous ! Elle n'a plus de sous, j'en fais comme ça il n'y a plus de problème. Fallait y penser, hein ?

Catherine de Médicis soupire : « Ah, on en est là... » tandis qu'Anjou se tient les côtes : « Hou ! Hou... »

— De l'argent, s'il n'y a que ça pour rendre les gens heureux, reprend l'altesse en s'exaltant, je vais en forger des pièces, moi, et, des fenêtres du Louvre, leur en jeter à la pelle ! Si Bernard Palissy était là, je lui aurais demandé d'en fabriquer en céramique. J'en parlerai à Ambroise Paré. Plutôt que de graver sur bois des autruches, sa gouge pourrait tailler des écus dans du peuplier.

La mère regarde son rejeton royal :

— Qu'as-tu, le mal de cabaret ?

— Comment ça, je suis saoul ? Tu le sais bien, je ne bois jamais d'alcool !

— Ben, heureusement, bouh... pleure de rire Monsieur dans ses doigts de demoiselle. Quel crétin fécal !

Charly 9 est très nerveux. Anjou a tort de l'insulter et de se foutre de sa gueule car le souverain lui rappelle que :

— Le Louvre se trouve bien près de la Seine où je pourrais te faire mener boire toute l'eau de la rivière !

123

Il s'en prend également à sa mère dont l'air consterné le déçoit :

— Quant à toi, mamma, que ne t'ai-je, le 23 août dernier, laissée partir au fond de l'Italie avec « Tes Chers Yeux » !... Produire de la fausse monnaie, où est le problème ? La vie, elle-même, est-elle réelle à ce point ?

Même le prélat en prend pour son grade :

— Monsieur le cardinal, je n'aime pas la façon dont vous me regardez comme si j'étais un grand malade. Gare à ce que je ne prenne une certaine décision en me passant cette fois de votre avis car après, sans miséricorde, vous pourriez, la corde au cou, faire la moue à vos ouailles en Lorraine !

L'ecclésiastique, habitué aux situations tendues, tente de calmer le jeu en termes fort diplomatiques :

— Ah Dieu, Sire, vous pouvez faire ce qu'il vous plaît, même des écus en métal doré, car vous portez votre grâce avec vous. Justice n'y a rien à voir comme pour un autre.

— Ceci dit, rappelle Catherine de Médicis, tu sais bien, Charles, qu'en France les faux monnayeurs sont punis par la peine de mort.

— Ben, la peine de mort... s'en fout d'un geste le monarque. Qui va me condamner à mort, moi ?

Anjou et la reine mère se regardent alors que le cardinal murmure :

— Toutes les cours d'Europe ont donc raison, le roi de France devient fou...

— « Europe » ? a seulement entendu Sa Majesté, mais quelle bonne idée ! Je pourrais aussi forger des monnaies de pays voisins. Comme ça, quand on en aurait des paquets, on rachèterait ces royaumes d'Angleterre, d'Allemagne, d'Espagne, d'Italie, et même le Vatican ! Ah oui, le Vatican, je deviendrais ainsi empereur d'Europe et pape ! Empereur-pape !

Catherine de Médicis et le cardinal de Lorraine sont estomaqués alors qu'Anjou porte les mains à sa braguette proéminente, décorée à l'allemande avec des houppettes et des nœuds de rubans. Elle lui sert aussi de bourse pour ranger la monnaie, un mouchoir dont il s'empare afin d'essuyer ses yeux qui pleurent de rire, et une boîte de bonbons qu'il ouvre pour en avaler quelques-uns dans des suffocations :

— Bouh, hou, hou ! Arrête, Charly... supplie-t-il.

Le roi, indigné et fâché par l'attitude de son frère, le prévient :

— Pour tes prochains bals fastueux, bombances et banquets, ah, tu pourras m'en demander de mes écus en fer, testons en céramique, liards en bois, tu n'en auras pas !

— Charly-y-hi, hi !

Aux rires qu'on entend dans le palais on ne dirait pas que le pays est au fond du gouffre. Le cardinal aussi porte des doigts gantés de rouge devant ses lèvres et se marre sous cape.

— Vous riez tous... déplore Sa Majesté.

— Je ne ris pas tellement, conteste la reine mère en triturant nerveusement et superstitieusement des amulettes pendues par une chaîne à son cou alors que son fils roi conclut :

— ... Mais au moins, moi, je cherche des solutions pour le bonheur de mes sujets. Prenez exemple sur Charly 9 !

27

Près du pont au meunier et de nuit le bronze d'un heurtoir en forme de pivert frappe du bec un coup sec puis trois autres faibles et comme mystérieux contre une porte massive en chêne, garnie de gros clous et bandes de fer, qui s'ouvre bientôt.

Lanterne à la main et en soutane de moine garnie d'un capuchon, le roi baisse la tête pour franchir l'entrée sur le dos d'un âne qui transporte aussi un gros coffre retenu par des cordes. Charly 9 qui met pied à terre dans une minuscule cour boueuse est accueilli par un homme à pas furtifs ainsi que les hyènes font. Le monarque le suit dans une chambre nue et sans lumière donnant à même la cour. Ses pas écrasent des herbes odorantes, semences de romarin, genièvre, et des écorces d'oranges, de citrons, couvrant le plancher et censées assainir l'air de la pièce humide qui pue le moisi. On trouve ici quantité de toiles d'araignée qu'éclaire la lanterne du roi et une table bancale avec deux chaises qui se font face.

L'homme à tête maigre et osseuse de reptile, comme on n'en voit qu'à la cour des Miracles, s'assoit ainsi que le roi, paraissant satisfait du rendez-vous nocturne en cet endroit louche :

— Au Louvre, l'escadron de ma mère nous aurait espionnés. Et comme c'est pour lui faire une surprise…

— J'ai préparé notre contrat, Majesté. Puis-je emprunter cette lumière ?

Sous l'éclairage de la lanterne, l'homme se met à lire une feuille de papier :

— *Charles, par la grâce de Dieu roy de France, ayant été averti que Jean des Galans, sieur de Pézerolles, avait un secret en main pour transmuer tous métaux imparfaits en fin or et argent…*

— Ça veut bien dire, monsieur des Galans, l'interrompt le monarque, que vous êtes un alchimiste qui a trouvé la pierre philosophale et peut transformer n'importe quel clou ou fer à cheval, même rouillé, en or pur ?

— Oui. Je poursuis : … *Ce faisant, ledict de Pézerolles promet que, dedans trois jours après la date de la présente, la matière ferreuse du roi à lui déclarée aura été mise en la décoction magique et dans les vases à ce requis et en tel nombre qu'il plaira à Sa Majesté…*

— Donc, on est bien d'accord, je pourrai vous donner tout ce que je veux comme plomb, vieille ferraille, tel le tas que je vous ai déjà fait livrer hier dans cette courette, vous m'en ferez des lingots d'or ?

— Bien sûr.

— Bon.

L'alchimiste Jean des Galans reprend sa lecture :

— *Le lendemain même de la signature du présent contrat, le sieur de Pézerolles montrera au roy une première preuve de transformation de ladicte matière*

127

en mercure mortifié ou unifié. S'en suivra sous deux jours la perfection complète d'icelle en fin or ou argent selon l'ordre ou degré de sa décoction en blanc ou en rouge.

— Je préférerais que ce soit de l'or plutôt que de l'argent, précise l'altesse exigeante.

— Très bien, je le note... *Et le roy, en considération de la bonne volonté et grand service que Jean de Galans lui fait et voulant rendre récompense, promet en foy et parole de roy de lui bailler à la signature même de la présente la somme de cent mille écus d'or soleil en deniers purs et clairs.*

— Cent mille écus-or, c'est cher... une bonne partie de la réserve actuelle du trône même si cela tient sur le dos d'un âne.

— Le prix du bonheur de la France, Majesté...

— *Purs et clairs*, avez-vous ensuite précisé ?

— C'est parce que, comme je vous l'ai fait savoir, Sire, j'aimerais mieux être payé en pièces que vous n'auriez pas forgées.

— Mais puisque, ces rondelles de fer, vous sauriez les transformer en métal précieux...

— Ce serait là une perte de temps que je préfère employer à sauver le royaume.

« Je comprends... et partage cet avis », reconnaît le roi qui se lève pour aller, du dos de sa monture de moine, désangler le coffre. « Tenez ! » dit-il ensuite en le déposant sur la table vermoulue dont les pieds plient sous le poids.

— 145, 146, 147 marches !… Ouf, il faut en faire des efforts pour atteindre le ciel alors que lui, on ne peut pas dire qu'il en fasse tellement pour descendre nous aider. J'en ai la tête qui tourne.

— Est-ce pour ça, mamma, que tu portes maintenant, à la chaîne de ton cou, cet amas d'amulettes et de talismans ? lui demande le roi arrivé avant elle au sommet. Tu ne crois plus aux religions ?

— Je ne sais plus trop à qui, quoi, me fier… soupire la mère, s'épongeant le front avec un mouchoir et reprenant son souffle. Tour à tour papiste ou luthérienne selon les circonstances, j'aurais surtout tenté de maintenir le royaume en paix mais…

Elle porte une gourde à sa bouche.

— Qu'est-ce que tu bois ?

— Le philtre d'un astrologue. Peut-être qu'avec ça… on ne sait jamais.

À l'heure ralentie où s'achève le soir, Catherine de Médicis (devenue très superstitieuse et patte de lapin entre les doigts) a suivi Charly 9 dans cette colonne dorique creuse de plus de trente mètres de hauteur et trois de large. Au bout de l'escalier à vis, sur une plate-forme en chantier qui sera, l'an prochain, dominée par une structure de métal et de verre, ils contemplent tous deux le firmament. La nuit paraît en diamant tellement elle scintille.

Du haut de la colonne astronomique désirée par la reine mère, rue des Deux-Écus, on voit mieux Cassiopée et la Grande Ourse. Quel point d'observation pour contempler le ciel ! Mais soudain les lèvres épaisses de Catherine tremblent :

— Le revoilà ! Ça fait quarante jours qu'il passe au-dessus de Paris vers les neuf heures du soir.

— Quoi ?

— Ce « feu en l'air » qui fait grande et épouvantable lumière…

— La comète ? Eh bien ?

— Les devins disent qu'elle présage la mort prochaine du roi.

— Ah bon ?

La mère épouvantée – « Sur dix enfants, j'en ai déjà eu cinq de morts ! » – jette une poudre miraculeuse par-dessus une de ses épaules alors que le fils souverain minimise :

— Ce qu'il faudrait redouter pour la France c'est que ma vie soit longue et non brève… J'ai, l'autre nuit, eu un songe dans lequel je vis ma conscience en face ou du moins son image qui au visage avait les traits de mon visage. Elle m'a pris la main en me disant : « Mais comment as-tu pu faire ces choix ? »

Lui, soupirant cela sur fond de constellations, on dirait du Shakespeare, raison pour ne plus lui en vouloir qu'à peine alors que tel le naufragé d'un rêve ce jeune monarque promène son souci navré sur la plateforme. Sa mère lui conseille :

— Tu devrais enterrer une poule noire et voici, pour te protéger, une bougie verte coulée à minuit dans les règles de la magie.

— Non merci. Ça ira… Prête-moi plutôt ta lunette astronomique. Tiens, la queue du feu en l'air s'abaisse sous l'horizon.

— Que vois-tu d'autre ?

— Rien, en tout cas personne qui pourrait sauver la France.

— Et l'alchimiste ?

— Ah, tu as appris ? Très absent aussi du paysage depuis une semaine. J'aimerais bien savoir où est passé ce sieur de Pézerolles avec tout l'or que je lui ai donné.

Charly 9 dirige sa longue-vue en plongée vers les rues de Paris comme à la recherche de Jean des Galans. Au centre de la ville, la colonne astronomique peut servir de tour du guet. La cité est un lacis de venelles. On y allume des falots et des lanternes qui permettent de lire des graffitis tracés au charbon sur des murs : « Roi de rien ! », « On dit que Charles, neuvième de ce nom, a été engendré derrière un gros buisson », « Tout ton règne ne fut qu'un horrible carnage. Tu mourras enfermé comme un chien qui enrage ! »

Glissant sa lunette astronomique par-dessus la place de Grève et les fruits pendus des exécutions capitales, l'altesse fait ensuite le point sur des affiches placardées près des nombreux cabarets qui entourent le Louvre : « Mort au tyran qui exige l'impôt de n'importe quoi, même bientôt de l'urine et de l'ombre du platane », « Rappelle-toi qu'il est

131

peut-être de ton devoir de tondre le troupeau mais non de l'écorcher », « La France est de toi tellement lasse », « Que le diable t'emporte ! »

Sur le tronc d'un arbre détrempé, d'où les oiseaux sont partis en laissant leurs nids et des squelettes de petits, on trouve écrit à la craie : « François Ier, reviens ! »

La ville semble donc pleurante de soucis et Charly 9 s'en désole : « Sans doute que j'aurais pu devenir un grand roi. J'ai voulu mais le ciel a ruiné mes menées. » Bras ballants, yeux rougis, la tête décoiffée, barbe et moustaches fines, il déambule sur la plate-forme qui indique les points cardinaux et regrette : « Une erreur lamentable me guide. »

Se tournant vers la mère, il sourit des fétiches, gris-gris, mascottes, qu'elle porte aux oreilles et de sa mort à lui annoncée par la comète :

— Après ma moisson d'âmes, les astres ne me protègent plus… Aïe !

— Qu'as-tu ?

— Je ressens parfois comme des aiguilles qui me transpercent.

Là-bas, des caymans (mendiants) réquisitionnés réparent de nuit les remparts ou vidangent les rues.

— Mamma, je ne m'arrêterai pas en chemin et revolerai. Il le faut. Ne sachant trop quoi faire d'autre, je pensais offrir des porte-bonheur à mon peuple.

Catherine de Médicis n'est pas contre :

— Bah, un porte-bonheur, ça ne peut pas faire de mal et du moment que ça ne coûte rien au royaume…

Elle redescend dans l'escalier en pierre et s'évapore comme un parfum.

29

— Mais que ça sent bon ! Ah, les premières fleurs, qu'elles sont parfumées ! Les muguets naissants ont des senteurs innocentes. Comment n'ai-je jamais pensé à en faire jeter dans l'eau de mes boissons ? Sans doute parce que la période de floraison est très courte. J'y serai plus attentif l'an prochain. Vive le muguet !

Vêtu d'une belle robe fourrée de martres zibelines et coiffé d'un chapeau noir couvert de plumes, le roi de France compose sur le rebord de la cheminée éteinte, d'un geste sobre et lent, un bouquet frais cueilli puis se retourne dans la chambre de son épouse à qui il est venu l'offrir.

Elle, en robe chatoyante bordée de perles – innocence et simplicité dans ce Louvre dépravé –, prend entre ses doigts les brins de muguet tendus par le mari. Elle sait que son époux a une maîtresse mais ne lui en fait jamais pire chère ni ne lui en dit parole (forcément puisqu'elle ne parle pas français !). Elle supporte patiemment sa petite jalousie et le larcin qu'il lui fait. Pour l'instant, émue, Elisabeth d'Autriche dont la silhouette ressemble à la courbe d'une tige de muguet porte les clochettes offertes à ses narines, les sent, et ça lui entre au cœur.

À dix-huit ans encore, elle relève ses paupières aux cils d'or vers le monarque à peine plus âgé qu'elle. Étant donné qu'Elisabeth se contente de sourire, la traductrice Arenberg n'a rien à dire. En revanche, par la fenêtre ouverte de la chambre, on entend crier dans les rues. Ce sont les voix de soldats qui offrent un brin de muguet aux gens :

— En ce 1er mai, c'est de la part du roi qui vous souhaite bien du plaisir ! Tenez madame, tenez monsieur, ce porte-bonheur. Les brins de muguet ont treize clochettes. Ça vous portera chance. Prenez, vous, et puis vous aussi, prenez-en tous ! Ça a poussé derrière les remparts où furent répandus, l'automne dernier, des cendres de parpaillots. Voyez comment, grâce à cet engrais, ça a donné cette année !

Un autre soldat, passant devant la porte ouverte d'une pauvre maison, propose à une famille indigente attablée devant un triste bouillon :

— Voulez-vous du muguet ? C'est de la part de Notre Majesté qui ne boit que de l'eau où trempent des fleurs…

Assis sur son banc et dos à un misérable lit de feuilles de châtaignier, un père squelettique, qui portait la cuillère à sa bouche d'un air rien moins que soumis, râle après Charly 9 :

— Pour une fois qu'il nous file à bouffer, celui-là !… Donnes-en une poignée, soldat, pour mettre dans la soupe.

Le père répartit également les clochettes et les

feuilles de porte-bonheur dans chacune des écuelles de sa famille en calculant :

— Toujours ça de plus à becqueter !...

Puis ils se remettent à manger mais soudain suffoquent, tombent, les yeux révulsés. Ailleurs, c'est une mère qui fait boire à son tout-petit l'eau du gobelet où elle avait plongé la tige d'un brin :

— Allez, ça masquera l'odeur de vase de la Seine. Encore une gorgée pour Notre Altesse !

L'enfant devient violet, tétanisé. Des gens vomissent contre un mur orné d'un graffiti : « Roi de rien ! » Ils ont cru agir tel le monarque en mangeant leur porte-bonheur ou buvant l'eau des fleurs sauf que le muguet est particulièrement toxique. Tige, feuilles, clochettes, sont mortelles sitôt ingérées. D'une agression voisine de la digitaline, même l'eau où a plongé ce porte-bonheur enflamme la gorge, provoque des nausées, diarrhées immédiates. Panique respiratoire, augmentation fantastique de la pression artérielle, on meurt vite d'un arrêt cardiaque. C'est une hécatombe dans Paris.

— Ah, nom de Dieu de nom de Dieu ! Palsangué, vertuguoy, taguienne !...

Sous une frise de pierre où s'insèrent des enfants joueurs tenant des guirlandes fleuries, Catherine de Médicis passe, catastrophée, dans le couloir au rez-de-chaussée du pavillon des reines :

— Bon, le coup du muguet pour le 1er mai, ça aussi c'est une idée... il va falloir l'oublier et le mieux serait qu'en fait le roi retourne à la chasse.

— Oh, morte couille ! Je n'aurai donc jamais de repos ! Quoi ! Toujours des troubles !

Le monarque, dans le même pavillon que sa mère, grimpe à l'étage vers les appartements de sa femme :

— Trop heureux le mortel qui peut cacher sa vie ! Le trône est souvent chargé d'infortunes !

Il s'enfle en gros jurons très peu chrétiens alors que, des fenêtres de l'escalier, on peut entendre gueuler parmi la fétidité des égouts à ciel ouvert de la cité :

— Au feu et à l'eau ! Il faudrait jeter toute la Cour à la rivière !

— À sac, le Louvre ! À sac ! Qu'il soit embrasé et, jusqu'aux fondations, rasé !

Ressentant de vives douleurs partout à travers le corps, Charly 9 est observé, lorsqu'il passe devant les ouvertures du bâtiment, par son frère Anjou situé de l'autre côté de la cour carrée et qui plante, en son salon, des aiguilles dans une poupée de cire à l'image de Sa Majesté.

— Aïe !

Arrivant, tordu d'afflictions, devant la porte de l'antichambre d'Élisabeth d'Autriche, il découvre la comtesse d'Arenberg qui en sort :

— Bonsoir, Sire. Mauvaise journée, n'est-ce pas ?…

— Ma femme a-t-elle mangé son muguet ou bu l'eau du vase ?!

— Non.

— Où est-elle ?

— Après avoir bordé votre petite, elle allait aussi se mettre au lit.

— Demandez-lui si elle veut bien que je la rejoigne.

— Inutile de poser la question. Elle en sera fort satisfaite et moi je resterai pour interpréter vos mots doux à tous deux… déclare Arenberg qui, d'autorité dans la chambre, tourne une chaise dos au lit et s'y assoit, prête à traduire tout ce qu'elle entendra. Si vous pouviez seulement, Majesté, lors des ébats ne pas trop prononcer de gros mots comme « Ah, bougresse, tiens, prends ça dans ton… ». Je vous dis ça et pourtant j'ai été mariée longtemps mais quand même… Surtout traduit en allemand, ça sonne un peu…

La veuve comtesse s'installe et tend l'oreille. Dans la chambre, c'est le silence. Le roi va pour dire quelque chose. Il ouvre la bouche mais la reine pose les doigts sur ses lèvres.

Amer et découragé, Charly 9 est assis contre les oreillers dressés du lit. Élisabeth, en chemise de nuit, s'est glissée contre lui entre ses bras. Si Arenberg se retournait, elle pourrait les voir par la fente des rideaux mal joints ou en ombres chinoises dues à la lueur d'une veilleuse sur la table de chevet.

La douce épouse pensive baise la poitrine maigre de son mari comme à un enfant. Ah, la grâce consolante de ses grands yeux… Sur ses cheveux roux défaits un charme glisse. Elle a aussi des baisers de sœur et daigne essuyer les moiteurs au front de son époux marqué du signe de la tragédie. Elle a des rougeurs aux joues quand le col de sa chemise s'ouvre et que le monarque pourrait voir l'œillade de ses petits seins. Sous les doigts de Charly 9 qui bougent tombe l'armure impuissante du linge fin de sa femme. La peau d'Élisabeth est délicate et blanche. Elle fait l'aumône d'elle. C'est bien, c'est beau. Elle le sauve du désespoir et c'est si joli le pardon quand c'est fleuri d'oubli.

Les gardes-françaises veillent sur les courtines et le roi tend une main vers un brin de muguet posé sur la table de chevet. Alors que sa femme a baissé les paupières, il cueille une clochette qu'il porte à sa bouche. Élisabeth d'Autriche lui retient le bras :

— *Ich liebe dich...*

Déclaration d'amour qu'Arenberg, qui s'est endormie, traduit par un ronflement :

— Rooon...

30

Un matin, Charly 9, soixante et unième roi de France, tire de très bonne heure le cordon près de son oreiller en regrettant :

— Ô, ce découragement à voir se lever l'aurore encore ! Quel sot réveil après quel somme ! Il ne faudrait plus penser aux morts…

— Toujours vos cauchemars, Majesté ? demande le grand chambellan qui pénètre dans la chambre suivi par un moine, un médecin, et quelques valets.

— *La conscience me ronge sur le soir et, la nuit, me gronde. Au matin, elle siffle en serpent. Ma propre âme me nuit. Elle-même se craint. D'elle, elle s'enfuit…*

— Voulez-vous que je note tout cela pour le passer à Ronsard qui l'arrangera en harmonieux alexandrins ? propose le chambellan alors que le moine qui l'accompagne remue, de haut en bas et de droite à gauche, un crucifix devant le visage du monarque qui le chasse :

— Hors d'ici, tonsuré ! Il y a longtemps que je ne chante plus de messes.

Au valet, lui présentant un bol : « Eau de valériane où flottent ses pétales ?… », Charly 9 répond :

— Non. Je ne crois plus, non plus, au langage des fleurs.

Alors qu'on lui tâte le pouls, il lance au médecin :
— Malade !

Débris d'orage, ruine humaine, épave au menton qui va continuant en longs poils tout pareils à ceux d'un bouc, l'altesse, assise au bord du lit, voit un noble chargé des affaires de l'État s'approcher en s'annonçant lui-même :

— Monsieur de Chieures !… qui a le désagrément de vous apporter de mauvaises nouvelles reçues des pays étrangers et provinces du royaume. Il faudrait, Sire, que l'on parle politique.

— La politique, ah, j'en ai assez fait ! Mon avis aujourd'hui ? Crotte et bran !

Alors que le conseiller décontenancé s'en va, le roi lève les bras pour qu'on lui ôte par le haut sa chemise de nuit. On glisse à ses jambes des chausses et il soulève un peu ses fesses du lit pour, autour du bassin, l'installation d'une trousse bouffante qu'il découvre d'un air étonné :

— Elle n'est pas déchirée, là ? Ah mais ici et là également. Cette trousse est fendue de toutes parts.

— C'est la nouvelle mode, Majesté… justifie le chambellan.

— Nouvelle mode ? s'étonne le monarque qui se lève, torse nu, et contemple ses chausses. Oh, elles aussi sont déchiquetées. Je vois la peau de mes genoux !

— Les tailleurs pratiquent dorénavant des entailles dans l'étoffe de chaque vêtement comme à coups de couteau, Sire. Et par les fentes du pourpoint cela fait ainsi apparaître le linge de la chemise qui bouffe joliment. Pareil pour les souliers qu'on vous a apportés, regardez. Le cuir est troué en plusieurs endroits. Les gants tailladés sur la main et même les doigts exhibent les bagues.

— L'intérêt d'un tel carnage vestimentaire, grand chambellan ?

— Bah, on décore tout de « crevés » en France parce que c'est dans l'air du temps.

— Bouh, hou !... tombe en larmes le roi.

— Quoi ? Qu'est-ce que j'ai dit ? interroge autour de lui le chambellan alors que déboule dans la chambre une fille un peu grasse de dix-neuf ans au regard hardi.

Les seigneurs, assistant au lever de l'altesse, lui font révérence :

— Ah, Marguerite de Valois... que vous voici également drôlement accoutrée.

Toute « gothique » et en noir, elle a aux lobes de ses oreilles des pendentifs en forme de tête de mort et porte, sous un bras, un vrai squelette de crâne humain dans un bocal empli d'alcool qu'elle promène comme un animal domestique :

— Qu'est-ce que je t'entends râler et gémir, Charly 9, alors que cette mode des crevés est inspirée par toi ? C'est bien de ta faute si ce siècle français n'est plus qu'une histoire tragique. De tes sujets tombés sous les couteaux, taillés en pièces, crevés, ça n'aura pas manqué durant ton règne alors qu'est-ce que tu nous emmerdes maintenant pour quelques fentes au tissu des manches, grand veau pleurard !

141

— Salope de Marguerite ! crie le roi à sa sœur. Je te compisse, gargouilleuse, truie pisseuse, malefille !

Il la roue aussitôt de coups avec force injures, l'accuse d'inceste :

— Puterelle, au con gros et mollet rejetant foutre blanc comme lait, qui a perdu son pucelage dès ses onze ans avec son frère Alençon ! Quand ton mari Henriot est avec moi à la chasse, le gnome Hercule ou d'autres, sortant de tes cuisses, ronflent à tes seins enflés de pâle putain !

Le frère aîné, à coups de poing, coups de latte, fait danser la volte et la martingale à sa sœur. Les breloques têtes de mort, accrochées aussi à des rubans de la robe noire, volent en toutes directions. Le bocal tombe au sol, s'y brise en mille éclats. Le vrai squelette de crâne roule sur le dallage. Plantes des pieds s'écorchant dans les débris de verre, Charly 9 poursuit Marguerite qui s'échappe de la chambre en poussant d'aigres cris poitrinaires. Le massacre se poursuit sous les voûtes du couloir où bruisse une foule de courtisans stupéfaits.

« Mais quand les bras, les mains, les ongles, détesteront être les instruments qui déchirent la peau ?… », se désole le grand chambellan voyant le roi de France bousculer le linge et l'honneur de la reine de Navarre :

— Grasse à lard !

Ronds de jupe essorés aux cieux peints des murs.

— Vite au charnier, sale charogne !

Traînes, rubans, volent. La reine Marguerite, comme un polichinelle en chiffon n'est bientôt plus qu'un triste tas. On la voit presque morte, formant une arabesque avec son bras qui se tord. Je vous laisse à penser si elle aura besoin de consolations. L'autre, fou de rage, la laisse en larmes et gémissante alors qu'un favori du duc d'Alençon vient s'accroupir devant la durement rabrouée. Il lui soulève sa tête dépeignée alors qu'elle le regarde d'un œil tuméfié :

— Joseph Boniface de La Môle…

À quarante-quatre ans, ce beau baladin de Cour, Malcontent réputé pour ses aventures galantes, caresse une joue de la reine de Navarre tandis que le roi s'en va au bout du couloir, turbulent, hasardeux, avec l'air, comme dit l'autre, d'en avoir deux. Le chambellan le hèle :

— Mais où allez-vous, Sire, sans chaussures et torse nu ?

— Boire des chiens !

31

Des ambassadeurs, soie et bijoux, l'un grand sec, l'autre petit ventru, délibèrent avec un troisième et ont l'air de princes n'ayant plus grand-chose à se dire tellement cela fait longtemps qu'ils patientent ensemble. L'un des trois retourne voir un huissier qui se tient devant une porte entrouverte :

— Cela fait je ne sais combien d'heures que nous attendons que le roi soit enfin disposé à nous recevoir pour de doctes entretiens.

— Je sais, monsieur l'ambassadeur de Venise, répond l'huissier d'un ton fataliste, mais Sa Majesté, ce matin, n'a voulu recevoir personne.

— Pourtant, vous venez bien d'ouvrir la porte de cette salle à un gros gars rouge qui laissait une odeur de cheval et de femme après lui.

— Ah, là, ce n'est pas pareil. Il s'agit du bourreau de la place de Grève dont le roi s'entiche. Il ne veut d'ailleurs plus que lui à sa table quand il dîne.

Le Vénitien indiscret regarde par l'embrasure :

— Est-ce le roi, celui qui n'a pas de souliers mais les pieds bandés de charpie et le torse nu sous une peau de bête ? Quelle bête d'ailleurs ?

— C'est du chien, du chien frais, mais veuillez

vous pousser un peu, monsieur l'ambassadeur, que je referme la porte. Notre monarque, après son lever de table, vous donnera peut-être audience à tous trois dans un coin de la salle.

— Ah, il va m'entendre ! promet le petit diplomate ventru à l'accent anglais en s'approchant du Vénitien.

— Je serais vous, conseille l'huissier, je ne l'ennuierais pas trop aujourd'hui… Après s'en être pris dès le réveil à sa sœur, il a plus tard tiré l'épée devant Anjou qui n'en a réchappé qu'en demandant grâce à genoux. S'il reçoit, il vous faudra, tous trois, se tenir un peu loin du roi :

— Pour ne pas le tuer ?

— Non, pour que lui ne vous tue pas. Et pensez qu'il suffirait d'une parole de travers pour mettre tout votre être en deuil. Craignez qu'il ne vous enlève et fasse sauter fort habilement, de dessus les épaules, votre tête qu'il mettra ensuite au bout d'une pique en guise de trophée.

— Ah mais quand même, il faudrait qu'il soit plus diplomate, s'offusque le Vénitien.

— Autant dire au lion : « Rampe et sois souple sous la trique », répond l'huissier.

L'ambassadeur anglais se met à claquer des dents alors qu'on entend trinquer et des éclats de rire derrière la porte.

— À la mort, mon compère ! lance Charly 9 au bourreau de la place de Grève en choquant un verre contre le sien.

— À la mort itou ! Ainsi donc, maintenant, vous voudriez faire tuer tout votre peuple, Sire ?

— Oui, entièrement.

— Oh, ça aurait de l'allure ! apprécie en connaisseur l'exécuteur de Grève et Montfaucon.

— Vous trouvez aussi, mon compère ? Vous ne dites pas ça pour me faire plaisir ?

— Ah non ! C'est vrai que ce n'était déjà pas mal la Saint-Barthélemy mais tout le peuple !

— Heureusement que vous êtes là, bourreau, pour me comprendre parce que les autres…

— Ah, je sais, Majesté… Nous ne sommes, ni l'un ni l'autre, appréciés à notre juste valeur et pourtant il n'y a pas de raison que les gens vivent.

— C'est ce que je me tue à répéter à tout le monde mais personne n'abonde dans mon sens. Ce n'est pas facile de régner.

Dans la grande salle des fêtes, sous la richesse des lambris décorés de scènes cruelles, une nuée de laquais apportent deux esturgeons, de cent écus chacun, adroitement transformés en monstres marins. Le bourreau se sert. Pour manger, il prend avec trois doigts de ce poisson prédécoupé en petits morceaux qu'il savoure :

— C'est bon ! Mais un peu fade…

Un maître d'hôtel fait rouler la nef royale en argent massif contenant des serviettes richement ornées et fermée à clé par crainte de l'empoisonnement. Elle contient une cuillère, un couteau, des épices et aussi une salière que le roi tend à son bon compère.

— Posez-la près du pâté d'alouettes sur la table, conseille celui-ci. Sinon, ça porte malheur.

Sa Majesté manque d'appétit et rumine encore ses regrets :

— Je n'ai pas assez mis la main au sang de mes sujets… ce qui est cause que mon destin est imparfait par le manquement de victimes.

— Oh, ne vous reprochez rien, Sire. Vous avez fait ce que vous avez pu. Et puis vous êtes jeune. La vie (je parle de la vôtre) n'est pas finie.

Il se veut encourageant envers son hôte prestigieux :

— Vous êtes déjà responsable d'une des plus grandes tragédies de l'Histoire. Franchement, de quoi devriez-vous avoir honte ?

— Votre soutien me fait du bien, pleurniche Charly 9. J'ai aussi commandé une belle chaîne d'or pour étrangler le pape de mes propres mains.

— Eh bien voilà ! Vous voyez, ça vient. Il faut y croire.

— Je pourrais aussi faire assassiner mes proches. Enfin, ceux qui me restent parce que j'en ai déjà buté pas mal. Ce matin, par exemple, j'ai failli trucider ma sœur et un frère !

— Et pourquoi ne pas l'avoir fait ?

— J'ai hésité et puis je n'ai pas osé…

— Allez, Majesté, ressaisissez-vous !

— Je pensais aussi décharger un coup d'arquebuse, par-derrière car c'est plus beau, dans les reins de ma mère. Elle pisserait comme un arrosoir.

— Très amusante idée ! Le matricide, on en fait tout un plat mais de quoi faudrait-il remercier les mères ? D'avoir donné vie à des gens que, nous, on va s'évertuer à occire jusqu'à s'en user la santé ? Allons, Sire !

147

— J'aurais peur que mamma se retourne et me demande pitié…

— C'est ça, le drame ! s'exclame l'exécuteur des hautes œuvres. Mais les victimes ne veulent pas comprendre. J'entends cela tous les jours, moi, devant le bûcher ou la potence : « Pitié !… » Et pourquoi faudrait-il avoir de la pitié ? Je vous demande un peu. Les mêmes qui nous la réclament avaient de la pitié pour ce qu'ils mangeaient ? D'ailleurs, il est fameux cet esturgeon. Je peux en reprendre ? Ça aurait été dommage d'avoir eu pitié de lui. On se serait moins régalé. Ça prouve bien qu'il y a du vrai dans ce que je dis.

Derrière la porte, où ils écoutent en indiscrets près de l'huissier, ce sont maintenant les trois ambassadeurs qui claquent des dents.

À table, devant un mélange d'eau de nèfle et de mélilot qui sert de rince-doigts, le bourreau s'essuie les mains en regardant la salle et une peinture encadrée contre un mur :

— C'est quoi ?

— Je crois que ça représente le fils de Sisamnès, condamné à rendre la justice assis sur la peau de son père qui fut dépecé vivant.

— C'est joli comme tableau.

— Voulez-vous un dessert, mon compère ?

Sur la table garnie de bassins ciselés emplis de dragées et de bouquets de fenouil confit, le bourreau choisit une étoile de sucre doré. Le monarque s'étire et appelle :

— Huissier ! N'est-ce point l'heure de mes audiences ?!

Quand la porte s'ouvre, Charly 9 prend sa dague. Il appuie sur un bouton du manche alors la lame s'écarte en deux parties et, du milieu, jaillit une flèche qui file tout droit se planter dans la poitrine de celui qui était chargé d'introduire les visiteurs. Le bourreau regarde tranquillement l'aune du monarque :

— C'est bien, ça.

— Oui, ça vient d'Italie. Ils sont forts, les Italiens... se doit de reconnaître Sa Majesté alors que les trois ambassadeurs s'enfuient en courant à travers les salles du Louvre.

32

... Où son cœur était tout pourri
Et son âme toute moisie.

Il n'avait point d'autre désir
Que de sang, de meurtre et de rage ;
Il n'avait point d'autre plaisir
Que la cruauté et carnage.

Il sortit de Paris jurant
Qu'il la réduirait tout en cendres,
Et que, avant qu'il fût un an,
Il ferait tout le peuple pendre !

— Est-ce votre voix, d'Orat, que je viens d'entendre rimer en « ir », en « age », en « an », en « endre »?

— Ah, heu... Hou, là, là ! Vous étiez là, Majesté ? panique en se retournant le poète de soixante-cinq ans qui s'imagine déjà, noirci et pendu par les pieds, à Montfaucon.

Sur le pas de la porte de ce salon-bibliothèque sans fenêtres mais aux milliers de manuscrits enluminés et livres imprimés rangés sur des étagères contre tous les murs, le roi a un petit sourire convulsif où l'œil prend dans son obliquité un demi-clignement loustic :

— Voulez-vous bien me répéter ces vers, d'Orat ? Si la rime n'en est pas trop bonne, le sujet et le sens sont peut-être bons.

— Heu, heu, heu…

Le gaulé par le monarque porte vite une paume à sa bouche pour mâcher la petite feuille de papier qu'il lisait à voix haute : « Ch'est à dire que, Machesté, che ne m'en chouviens plus ! » Et il déglutit pendant que trois confrères, se comportant en bons camarades, viennent à sa rescousse :

— Ça peut arriver d'oublier ses propres quatrains, Sire, dit Jean Antoine de Baïf. Moi, quand tombe la nuit, je m'endors vite et comme je rêvasse toujours, je rêve des vers mieux, des vers à faire un jour mon renom sans pareil mais dont je ne sais plus un mot au réveil.

Pontus de Tyard confirme : « Moi, c'est pareil » puis fait diversion :

— Sinon, Majesté, au nom de mes collègues de la Pléiade, je voulais vous demander : normalement, nos gages devraient être versés tous les mois mais nous ne les recevons que rarement. Pourquoi ?

— Les poètes ressemblent aux chevaux qu'il faut nourrir et non pas trop engraisser car après ils ne valent plus rien.

Charly 9, en pourpoint de velours, chapeau à la royale (le tout décoré de crevés évidemment), vient s'asseoir près de Ronsard à qui il demande :

— Et vous, votre avis sur ce poème ? Ne trouvez-vous pas que si son versificateur tâte les arts il n'en prend que la peau ?

— Commeint ?! Un poème ? Quel poème ?

— Vous êtes sourd quand vous voulez, Ronsard, hein ?

Jean d'Orat, vexé dans son coin, grommelle pour lui-même :

— Des grands poètes, l'on rira toujours... Si ce Valois avait passé son temps à faire des vers comme les miens nous n'aurions pas eu la Saint-Barthélemy. Plût à Dieu qu'il en ait écrit même de mauvais ! Une application constante aux arts aimables adoucit les mœurs.

— Vous disiez quelque chose, d'Orat ?

— Moi, Sire ? Ah, pas du tout !

— J'avais pourtant l'impression que...

— C'est ma mâchoire édentée qui remue toute seule en faisant du bruit alors on croit que je parle mais pas du tout.

Le monarque lève les yeux vers un des poètes debout :

— Même si j'ai dû, monsieur Baïf, délaisser (depuis un an et une semaine. Oui, je compte les jours...) les arts et les lettres pour m'adonner à des décisions violentes qui abrègent la vie, j'aime venir dans votre académie de poésie mesurée. Elle vise à mon perfectionnement aussi bien dans mon esprit que dans mon corps...

— Le résultat n'est pas flagrant, marmonne d'Orat.

— J'apprécie surtout les vers mesurés à l'antique, grecs, reprend le roi. Et vous, Tyard ?

152

— Nous œuvrons quelquefois, dans nos réunions, sur des vers grecs, Sire, mais non pas ceux des tragédies afin de contenter la reine, votre mère, qui, dessus tout, nous enjoint à les fuir de crainte qu'ils ne portent malh…

Le roi rote.

— J'ai, cette nuit, pensé à vous, dit ensuite l'altesse qui se tourne vers Ronsard. Pierre, vous allez m'écrire un très long poème épique dont j'ai trouvé le titre : *La Franciade*. Ce devra être une œuvre d'envergure considérable en plusieurs volumes écrite en décasyllabes.

— Commeint ?!

C'est alors qu'arrive dans le salon-bibliothèque une jolie servante de seize ans avec des petits seins et des… Elle dépose devant le roi la porcelaine d'une corbeille de fruits que le poète des jardins contemple avant d'interpeller la jeune soubrette :

— Holà ! Pas de raisin pour un atrabilaire, malheureuse !… ni de melon à un colérique.

Il se lève avec la corbeille :

— Je vais devoir, un matin après notre réveil, vous apprendre tout cela dans mon jardin, poursuit-il en prenant par le bras la petite qu'il accompagne.

Franchissant la porte avec elle d'un pas alerte, il ajoute :

— Mignonne, nous irons voir si la rose…

— Restez là, Ronsard ! ordonne le monarque.

Le poète tourangeau revient en traînant la patte et regrettant :

— Mais pourquoi des décasyllabes, Majesté, plutôt que des alexandrins ? C'est une mauvaise idée.

153

— Si c'était la première qu'il avait eue… rumine d'Orat.

— Ce sera en décasyllabes et long, insiste le roi. J'y tiens beaucoup. Les Grecs écrivaient bien en vers de dix pieds.

— Dix pieds, ça va peut-être pour le grec mais en français, il en faut douze.

— Obéissez à mes ordonnances, Ronsard, sans discuter ou contester car je sais mieux que personne ce qui est propre et convenable pour mon royaume.

— Ah bon ? Ça se saurait… ricane d'Orat.

— Vous, arrêtez de remuer cette maudite mâchoire sinon je la cloue ! menace Charly 9.

— On a bien fait de laisser repartir le raisin et le melon…, chuchote Tyard à l'oreille de Baïf.

Après que Ronsard eut déploré : « *La Franciade* n'égalera jamais le reste de mon œuvre. Elle fera tache et sera sujet à moqueries… », le roi se veut rassurant : « Moqueries ? J'irai jusque dans leurs maisons et dedans leurs lits chercher ceux qui les baillent ! Vous allez y arriver, Pierre. Vous saurez rimer *La Franciade* avec des vers aussi beaux que celui que vous avez écrit sur Paris. Comment c'est déjà ? Ah oui : *La ville au dos fendu d'une rivière.* »

— C'est un alexandrin, Majesté ! rappelle le poète bucolique.

— Ah bon ?

— Mais oui, en deux hémistiches avec la césure au milieu comme il faut. 1, 2, 3, 4, 5, 6, césure, 1, 2, 3, 4, 5, 6, vers suivant… *La-vi-lau-dos-fen-du*, césure, *d'u-ne-ri-vi-è-re.* Alors ?

— *La Franciade* sera rédigée en décasyllabes.

— Rooh !... Bon, on a le titre mais sur quel thème, Majesté, vais-je devoir braire en dix pieds comme un âne ?

— Vous raconterez la vie de Francus, fils supposé d'Hector, dont on dit qu'il serait à l'origine du peuple français.

Ronsard, yeux au plafond et joues gonflées, soupire sur l'air de : « Oh, putain, en plus, le sujet !... »

— Pierre, j'attends là-dessus dix mille vers que vous me ferez lire au fur et à mesure de leur rédaction.

Baïf et Tyard qui étaient un peu chagrinés que le roi préfère passer commande à Ronsard sont maintenant très soulagés de ne pas avoir à se goinfrer dix mille lignes sur la vie de ce con de Francus. En revanche, d'Orat, lui, s'y collerait bien : « Sire, confiez-moi votre *Franciade*. Tout le monde courra en acheter comme du pain au marché en temps de famine ! » mais le roi ne l'écoute même pas. Ce poète qui plaît maigrement s'estomaque et s'altère, se demande comment il est possible qu'on le maltraite de cette façon alors que Ronsard, lui, s'inquiète pour sa postérité qui le préoccupe beaucoup :

— Les beaux palais et bâtiments sont sujets à ruine et ne durent que quelque temps, voire les généreux actes ou méfaits des rois pouvant s'effacer de la mémoire des hommes mais les écrits restent éternellement...

— Bon, maintenant que nous sommes tous d'accord, on va fêter ça ! s'écrie le monarque qui se lève en bas blancs troués laissant voir la peau de ses

mollets. Je chanterais bien mais j'ai mauvaise voix.
Voulez-vous que je vous joue du cor ?

« Non ! » s'écrient ensemble Baïf, Tyard et d'Orat,
se jetant la dernière phalange de leurs index au fond
des tympans mais c'est trop tard :

— COIIN ! COUIIINNE ! GRR ! BRRU !!!

Ronsard s'étonne de la mine grimaçante et catastrophée des collègues de la Pléiade :

— Quoi, qu'a-t-elle, la musique du roi ?

D'Orat qui souffre, en nage et écarlate dans l'affolant boucan de la cacophonie stridente, regrette :

— S'il faut être sourd pour que Sa Majesté vous
trouve du talent...

33

Charly 9 chasse à courre le cerf dans le Louvre, pas dans la cour carrée ni dans le jardin qui mène aux Tuileries, dans le Louvre ! Un magnifique vieux vingt-deux cors ès bois authentiques glisse sur les dalles en marbre, défonce les portes. Il est poursuivi par un cheval rouan au galop que monte à cru le monarque nu, crâne sous le capuchon d'une cape de Béarn qu'il a chipée à Navarre. Dans le dos, les plis en tuyaux d'orgue s'envolent au-dessus de la peau des épaules du roi qui, épée à la main droite, serre dans le poing gauche une étrivière dont il fouette les courtisans sur son passage comme si c'étaient des roseaux au bord d'un étang. Il fout en l'air des peintres tombant d'échafaudages avec leurs pots de couleurs. Voilà ces décorateurs qui roulent entre les sabots de l'équidé à la robe brun rougeâtre tachée de points blancs.

— Hue ! Dia ! hurle Sa Majesté, faisant bondir sa monture par-dessus les artistes.

Parce qu'on s'approche de l'hiver 1573 et qu'il fait trop froid pour aller chasser du côté de Compiègne, le roi de France traque la bête rousse à demeure. En ces lieux où jadis s'écoulèrent aussi ses premières années, a-t-il la mémoire d'avoir été un de ces petits enfants sages... que Jésus aime... lui dont la conversation n'est plus qu'un cor de chasse qui klaxonne ?

— CROIIN ! CROUII ! KRUU !

Le cerf brame et détale vers le grand escalier servant de passage pour accéder aux offices de cuisine qu'il traverse faisant voler casseroles, poêles, commis et marmitons. Quand ces derniers commencent à se relever, c'est le giboyeur à cheval qui déboule et ils retombent sur le cul. En *terra incognita* comme disent les anciens géographes, le cerf file sur les tomettes d'un sol rouge poursuivi par l'autre là, le mi-ange, mi-dément. À travers galeries et terrasses, la cavalcade continue. Dans l'étage noble où se trouvent les chambres royales, le cervidé rompt et foule les portes. Le pavillon du roi communique avec l'aile Henri II où s'engage le monarque. Portant son épée haute, il brave et menace tout ne craignant rien. Les fers aux sabots de sa monture déchirent les tapis mais c'est le moindre de ses soucis. Quelle vilenie ! Il fonce à toute bride et a bien souvent le mot pour rire : « Chaud devant ! Attention, je tache ! » C'est le diable incarné. Dévalant un escalier sans noyau mais fenestrages dorés, pilastres et portaux, les courroies de cuir des porte-éperons entourant ses cous-de-pied nus le blessent. Sûr qu'il va aussi se brûler la peau des couilles sur le dos rêche de l'équidé à crinière et queue noires. Quant au cervidé athlétique, il heurte ses bois qui cassent comme verre contre des colonnes de dames cariatides en pierre qui s'en foutent. Dans la salle de l'échiquier au dallage alterné noir et blanc, le fou sur le dos du cheval joue une drôle de partie.

Ce vice sent la gibecière. Au plafond, une Diane chasseresse entre deux chiens paraît suivre des yeux le gibier et le chasseur. On dirait aussi qu'elle tourne la tête quand le cerf explose les portes de la salle de danse qui s'ouvrent, vomissant tout un flot de vapeurs. Ici se déroulent les répétitions d'un ballet devant être joué dans quelques jours mais le roi, douteux animal sans cervelle lui-même, y poursuit sa chasse à la bête rousse et le Louvre retentit alors de tous les cris aigus des danseuses s'enfuyant. L'autre taré cingle de son étrivière les épaules des nymphes. Bouillant et hardi, il traverse les toiles de beaux décors qu'untel brossa, écrase des rochers lumineux tractés par des Neptunes musclés. Le roi en sa fournaise avec la danse autour souffle du cor sur un ton anormal et les portes au fond de la salle s'ouvrent soudain en grand. Devant des guidons déployés et roulements de tambours, cinquante archers mettent la main au carquois dans leur dos. Ils prennent les flèches en passant simplement les doigts par-dessus l'épaule et tirent. Le cerf se métamorphose en hérisson !... Charly 9, surpris, stoppe brutalement l'allure de son cheval, le met au pas puis enfin l'arrête, tourne bride en s'exclamant :

— Qui a ordonné ça ?! Qui a commandé l'abattage ?

Une grande ombre le recouvre et une voix qui tonne lui répond :

— Moi !

C'est le timbre vocal de Catherine de Médicis sous un voile noir bordé d'un fil de laiton qui forme autour de sa tête une sorte d'auréole épinglée aux épaules.

Toute pleine de reliqueries accrochées aux habits pour des vœux et devant une grande fenêtre, elle descend les dernières marches d'un escalier :

— Après les lapins puis une autre fois le héron, c'est ce matin un cervidé que tu chasses dans le Louvre. Ce n'est plus possible !... Si tu tiens à courir le cerf dans un appartement, va faire ça chez ta maîtresse ! Je ne sais d'ailleurs pas trop ce que tu fiches rue du Monceau-Saint-Gervais où parfois paraît-il, lors de tes visites à la huguenote, du sang gicle sur ses vitres. Malade !

La reine mère, altière, descend la dernière marche :

— Mais enfin... heureusement pour la France et surtout pour Mes Chers Yeux, ce n'est pas ta femme mais elle qui, le 28 avril dernier dans le plus grand secret au château du Fayet à Banaux, t'a fait un fils.

Le roi surpris met pied à terre :

— Tu as eu connaissance de la naissance de Charles, comte d'Auvergne ?

— Ah, parce que tu as anobli ton bâtard ?

34

Chez Marie Touchet, tous les meubles sont cassés. Le roi de France et sa maîtresse roulent nus dans le lit démoli aux rideaux déchirés qui pendent en lambeaux. Les colonnes en châtaignier torsadées autour de la couche sont disloquées et un pied rompu fait pencher le sommier sur lequel le matelas déchiqueté a glissé. Tout en jouant souvent du cor, Charly 9 « honore » sa parpaillote en ce champ de bataille avec une telle ardeur qu'il pourrait bien y laisser sa vie.

— HUU ! KRII !

Chaque fois qu'il s'époumone dans l'instrument de chasse, des oreillers crevés s'envolent des poignées de duvet d'oie, qui montent en l'air, tournoient avant de retomber – neige blanche – sur les amants de ce Paris aux cœurs brisés.

Dans ce décor comme bombardé, éclairé par deux flambeaux, le monarque s'échauffe tant sur sa belle qu'on dirait qu'il se jette dans une autre voie de mort – la jouissance d'elle ! La maîtresse audacieuse répond tambour battant au garçon prompt et remuant. Elle lui glisse une main entre les jambes et l'attrape quelque part dans l'ombre.

— Ouille ! Non, pas là…

— Pourquoi ?

— La peau m'y brûle.

Elle, douce et forte, sent bon la mer. Lui, la regarde afin de voir ce dont la nuit il rêve. Elle, rose dans ce monde où tout est noir. Lui, la boit à toutes les lèvres et quelles ivresses en route ! Elle, aux hanches ardentes et luronnes. Lui, comme il s'y cramponne. Elle, visitée quand les rayons du soir plongent dans la Seine. Lui, mord sa chevelure en haut et en bas et quels repas ! C'est l'éternité qu'elle lui offre. Il la prend !

Écoutez, c'est leur sang qui chante. Elle, fille à la taille qui plie où lui entre, tous torts expiés, comme on monterait au ciel. Le corps de Marie l'absout de tout. Eux, maintenant font des choses… Cela vaut-il la peine qu'on en cause ? Lui, sent monter un truc et nul moyen de le remettre à demain. Tout lourd de fièvre, il décharge brutalement un flot royal, éternue des jets de… dans la grande bataille des baisers confus.

— Putain, bagasse, chienne !

La demoiselle nommée également « Je charme tout », jamais transie, toujours sincère, éclate en vives splendeurs franches. La beauté entre ses jambes dit : « Encore ! » La folie est à nouveau en route. Allez, bon coq rebaise ta poule et chante dans ton cor :

— KRU ! KRIII ! KRA !

— C'est elle, cette huguenote, qui le tue ! crie quelqu'un dans la rue sous le regard affreux d'une menaçante comète.

Les habitants du quartier n'en peuvent plus de ce bordel ! Parfois une maison illumine sa vitre et lance un éclair. Marie Touchet, ô gaîté dans les jurons de l'amant – « Ah, nom de Dieu, chiasse de la Vierge ! » –, s'est farci les oreilles d'étoupe de chanvre afin de ne pas se retrouver handicapée d'un sens par le dingue qui souffle, comme avec une corne de brume, au creux de ses tympans. Elle tend son bras gauche enneigé de duvet et c'est alors une aile qui se déploie vers un petit enfant dans son berceau à proximité du lit. Ce nourrisson – seul espoir –, vers le ciel, lève ses jeunes mains. Les menottes du comte d'Auvergne tapotent la médaille commémorative du pape, percée d'un trou et suspendue, tel un hochet, à l'andouiller d'un six-cors dont la tête tranchée se trouve aussi dans le berceau.

— KRÈÈ ! KRÔÔ ! KIII !

Le petit Charles de Valois (huit mois) est indifférent à la trompe de son père car sa mère lui a fourré de charpie les tympans. Prise dans son élan, au cerf également – chassé ici et qui a tout détruit – elle a tassé de la filasse de chanvre dans les oreilles.

35

— C'est le portrait de qui ?

— Ben, celui du roi de France, c'est écrit dessous !

— C'est le monarque, lui ?

— Oui.

— La dernière fois que je l'ai vu, c'était deux semaines avant la Saint-Barthélemy. Comme il a changé en un peu plus d'un an…

— Et encore, le dessin est flatteur ! Vous allez voir, en vrai, quand il vous donnera audience…

— Où est-il ?

— Parti essayer une nouvelle selle.

— Ah, donc il n'est pas entre les murs du palais ?

— Si, si.

— Mais ? Il ne monte pas à cheval dans le Louvre tout de même ?

— Heu… si, si, des fois si mais, là, c'est lui qui porte la selle.

— Pour mettre le cheval dessus ?

— On ne sait pas.

— Je ne comprends rien, duc de Longueville. On se croirait maintenant dans une maison de fous, ici !

— C'est un peu ça… Monsieur de La Noue, avisez bien, quand vous serez devant le roi, d'être sage et de parler sagement car vous ne parlerez plus à ce roi doux, bénin et gracieux d'avant la Saint-Barthélemy. Il a, à cette heure, autant de sévérité au visage qu'il avait avant de douceur. Tiens, le voilà !

— Ca-ta-clop ! Ca-ta-clop ! Ca-ta-clop ! Hu-hu-huuu !…

Le souverain arrive à quatre pattes en faisant avec sa bouche le bruit des sabots au trot suivi d'un hennissement. Dos recouvert d'une magnifique selle dont les étriers traînent sur les dalles en marbre, il se plaint auprès du duc de Longueville :

165

— Ça blesse ici et là. Il faudra pendre le sellier. Défaites-moi tout ça.

Pendant que le duc accroupi dessangle Sa Majesté, La Noue, qui n'en revient pas, baisse son bras droit tenant le dessin qu'il contemplait tout à l'heure. Charly 9 se lève et lui tape contre l'épaule gauche :

— Alors, gouverneur de La Rochelle, ça va ? Aïe !

En frappant la manche verticale du pourpoint de La Noue, on a entendu un bruit métallique et Sa Majesté, qui s'est fait mal aux doigts contre des rivets, se souvient :

— Ah, c'est vrai, vous portez une prosthèse. Ce bras perdu au siège de Fontenay-le-Comte n'a donc toujours pas repoussé ? Ah, si plutôt qu'être un Malcontent vous aviez été lézard... Suivez-moi, Bras-de-Fer.

Dans le cabinet du roi, le gouverneur de La Rochelle observe Charly 9 – long, maigre, voûté, pâle, les yeux jaunâtres, l'air bilieux et menaçant, le cou un peu de travers. Tout en douleurs et langueurs, aaah !..., le monarque s'étire :

— C'est vous, La Noue, qui avez un membre en fer et c'est moi qui rouille mais ça ira sans doute mieux quand Anjou sera enfin en Pologne !...

— Votre frère – Monsieur – va quitter la France, Sire ?

— Oui. À Cracovie, le trône sans héritier s'étant trouvé vacant, la Diète a eu à choisir un nouveau monarque parmi Mes Chers Yeux, Ivan le Terrible et l'archiduc Ernst de Habsbourg. Grégoire XIII ayant exigé l'élection d'un catholique, l'assemblée polonaise a donc nommé mon frère le 19 juin. Vous m'entendez, Bras-de-Fer, le 19 juin… et il est toujours là, en automne, à me surveiller… comme s'il attendait que ce soit plutôt mon sceptre chancelant qui tombe dans ses mains.

Effectivement, de l'autre côté de la Seine et depuis une fenêtre de la tour de Nesle, Henri d'Anjou regarde le Louvre avec envie. Emperlée, sa chevelure poudrée jaune vif dessine deux arcs voûtés sous un bonnet sans bord fait à l'italienne. Il agite des manchons gaufrés de satin blanc et perce, avec une aiguille, une poupée de cire.

— Aïe !… grimace Charly 9, se pliant en deux et portant une main à sa poitrine. J'ai souvent le cœur comme traversé d'une lame plus fine et plus pénétrante qu'aucun stylet. Quand je serai délivré d'Anjou, j'espère que cela hâtera ma guérison.

Il se redresse lourdement :

— Les ambassadeurs polonais trouvent mon frère peu pressé d'aller régner en son royaume. Moi aussi je suis impatient alors j'ai fixé la date où la Cour qui m'accompagnera devra porter ses malles de château en château jusqu'à la frontière. C'est pour ça que j'essayais une nouvelle selle.

À vingt-trois ans, le roi aux rides profondes donne l'impression d'être âgé de plus du double et le cerf en cligne de ses paupières aux longs cils juvéniles.

Même si Charly 9 a un vilain teint, qu'il est fort marqué de cernes et qu'il a beaucoup vieilli, il aime toujours la plaisanterie et les farces au milieu de cette Cour infestée par les espionnes de sa mère.

Près de la cheminée, le roi s'empare d'une arbalète. Dos à la tapisserie, il l'arme puis se retourne et tire à bout touchant dans l'œil du cerf. Il colle ensuite une oreille contre la tenture murale, entend tomber un corps accompagné d'un bruit de petit meuble renversé. Il reprend sa conversation avec La Noue qui, bouche bée, se demande où est passée la flèche. Dans le couloir, deux soldats portent un brancard. L'un des deux dit à l'autre :

— T'as vu ?... Cette petite princesse s'est cassé la cheville en tombant du tabouret.

L'autre répond :

— La cheville, ce n'est rien. Regarde son œil.

Un carreau d'arbalète traverse entièrement la tête de la jeune fille à bouche étonnée, figée en cul-de-poule. Ramdam autour de sa dépouille vers laquelle se précipitent quelques membres féminins de l'escadron volant et la reine mère elle-même :

— Qu'est-il arrivé ?

Une blondinette accourue répond :

— C'est parce que le roi a repéré le trou dans l'œil du cerf. C'est comme ça qu'il m'a détruit les tympans en soufflant du cor à tue-tête.

— Ah bon ? s'étonne Catherine de Médicis. Mais pourquoi ne pas l'avoir dit quand on vous a demandé comment ça vous était arrivé ?

— Je n'avais pas entendu la question !

36

Jour de Toussaint 1573, le roi à cheval respire mal. Son teint est cireux. Des quintes de toux secouent son long corps voûté. Il fait peine à voir ce monarque aux yeux cernés sur un visage déjà flétri. Lui qu'on a vêtu tout de blanc afin qu'on le reconnaisse mieux est emmitouflé dans un manteau de voyage couleur de neige. Sa monture avance au pas parmi un long cortège qui se traîne à travers bois et mauvais chemins boueux du royaume. Il pleut. Une bise siffle au ras de la plaine mais le roi fiévreux a chaud. Il ouvre son manteau sur un pourpoint immaculé, décoré de crevés, recouvrant une chemise blanche qui bouffe à travers les trous. Son chambellan, devant lui, se retourne et observe la tenue virginale de Sa Majesté.

Charly 9 chevauche près de la portière droite d'un lourd carrosse doré à l'intérieur de velours où sont assis, côte à côte, la reine mère et Anjou. Secoué à cause des ornières, le nouveau roi de Pologne soulève le rideau de cuir, masquant une vitre, pour contempler son frère :

— Regarde, maman, comme à ses mains, qui ont

fait tant de choses, il ne reste presque plus la force de simplement tenir les rênes d'une monture.

Catherine de Médicis se penche pour voir avec indifférence dépérir son aîné :

— Il doit tellement craindre que tu t'échappes avant la frontière qu'il chevauche, collé au coche, de ton côté.

Henri rabat le rideau pour sortir d'un sac une petite poupée de cire et une boîte. Il revêt aussi un gantelet de fer. La reine mère regarde devant elle.

Le cortège de mille quatre cent cinquante âmes progresse avec en tête des enseignes déployées, des fifres et tambourins, beaucoup de soldats armés d'arcs, de piques, arquebuses et pistolets. Des chanceliers, gens du Conseil, secrétaires d'État, font partie du voyage. Des charrettes emplies de domestiques, de cuisiniers, sauciers, palefreniers, ferment le convoi que remontent et redescendent des pages à dos-d'âne en proposant du vin chaud aux uns et aux autres et aussi des confitures offertes selon l'usage par les palatins polonais en fourrures et vêtements bariolés qui vont devant le carrosse. Arrivés à la frontière, ce sont eux qui conduiront Anjou jusqu'à Varsovie où il sera sacré (Henri dirait exilé). Pour distraire la Cour, des comédiens italiens font les pitres, amusent en grimpant comiquement, tels des singes, aux arbres d'une nouvelle forêt que le cortège traverse.

Quittant enfin le sombre sous-bois pour une autre plaine champenoise où l'on voit se dresser à l'horizon les flèches gothiques de Vitry-en-Perthois, le grand chambellan se retourne encore vers l'altesse française :

— Vous êtes-vous blessé le front contre une branche, Majesté ?

— Non, pourquoi ?

— ... Et vous avez changé d'habits dans les fourrés ?

— Que dites-vous, chambellan ? Est-ce le vin chaud qui vous ?...

— Mais, Sire, vos bas, la trousse, votre chemise, sont écarlates alors que je sais bien que, ce matin, je vous ai vêtu tout de blanc.

Charly 9, baissant le menton vers sa poitrine, saisit le tissu fin sous le justaucorps et il essore sa liquette liquide qui coule rouge.

— Le roi transpire du sang de la tête aux pieds !... s'écrie le grand chambellan. Arrêtez le convoi ! Où sont les médecins ?!

À dos de mulet, il en arrive trois qui secouent leurs jambes pour faire aller plus vite la monture et, descendus à terre devant le monarque décontenancé toujours en selle, ils diagnostiquent aussitôt à tour de rôle :

— Humeurs cuites et accumulées dedans son corps pour ne s'être point assez mouché la plupart du temps !

— Fièvre pourpre que l'on peut attribuer à une cause surnaturelle !

— Enchantement et ensorcellement, il ne passera pas le carême-prenant du mardi gras ! Le roi doit interrompre son voyage et s'en retourner au palais.

Catherine de Médicis descend du carrosse qu'elle contourne par l'arrière en proposant :

171

— Ne devrait-on pas plutôt l'emmener se reposer, là-bas, à Vitry-en-Perthois ?

Le premier médecin de Sa Majesté conteste cet avis :

— C'est sans doute une assez belle ville pour vivre mais non pour y mourir, je crois.

Entendant cela, Charly 9 essuie avec un mouchoir son visage couvert de sang. Il relève une de ses manches et, voyant l'hémoglobine couler au coude, il pousse des cris sauvages vers sa mère :

— Ah, mamma ! Mamma ! Ce sont encore de tes faits, ce sont de tes tours ! Mamma, tu me fais mourir !

— Moi ? Mais je n'ai rien fait. Je le jure sur ta tête.

— Je préférerais que ce soit sur celle d'Anjou, commente le roi de France qui ruisselle de sang comme un échafaud et dont l'abattement devient tel qu'il en glisse de sa selle.

Par la vitre au rideau de cuir qu'il relève, Henri, resté dans le carrosse, regarde son aîné tomber dans la boue. L'affectueux cadet entrouvre la portière juste pour rappeler que :

— Suivant la loi salique de ce royaume, la couronne de France pourrait me revenir vite et il est donc peut-être inutile que je poursuive ce voyage vers la Pologne.

Au jeune charognard chamarré d'oreries et de perles, le roi, installé maintenant sur une civière qu'on soulève, ordonne :

— Va-t'en ! Tu seras là-bas coiffé d'une fourrure d'ours, habillé à l'orientale, brilleras telle une icône.

J'use encore de mon droit et t'encharge de te retirer de France !

Voyant que les palatins de Varsovie frottent leurs longues moustaches avec l'air de se demander pourquoi Anjou rechigne tant à être leur roi, la reine mère se veut diplomate. Elle vient chuchoter à l'oreille d'Henri :

— Mes Chers Yeux, passe le Rhin pour n'aller faire qu'un tour à Varsovie. Tu reviendras bientôt...

Charly 9, lui, a toujours du sang perlant aux pores de sa peau en tous endroits. Hémorragie cutanée, des petits filets d'hémoglobine sortent par des milliers de trous ainsi que des serpents frileux quittant leur repaire sur le corps brûlant du monarque. Laquais et valets de pied l'installent dans une litière à grosses roues en bois.

Le cortège se scinde sous la pluie, moitié poursuivant vers Lunéville et la frontière, moitié revenant vers Paris. Catherine de Médicis embrasse encore une fois son rejeton préféré :

— Tu n'as pas fait tes adieux à ton aîné. Qu'est-ce que je lui dis de ta part ?

— Que je lui souhaite beaucoup d'autres ans et santé meilleure.

— Tu es bête... sourit la reine mère.

À bord du carrosse qui s'est remis en branle, Anjou, dans le gantelet de fer de sa main droite, vide le reste d'une boîte d'épingles sur la poupée de cire qu'il malaxe. Entre les doigts du gant entouré de lames métalliques, l'effigie cireuse s'amollit, s'écrase, se tord, ne devient plus qu'une vague chose informe traversée d'aiguilles.

37

— Ah, têtu bleu ! Ambroise Paré, regardez-moi ce roi de France qui ne ressemble plus à rien !... Quelle désolation que de le voir tout piqueté et recroquevillé en tas dans un trône trop grand pour lui !

— Chut ! Ne parlez pas si fort, reine Catherine. Il dort.

Venant d'arriver dans cette salle du trône, l'altière reine mère, sur le pas de la porte refermée derrière elle, reluque son enfant :

— Je pensais que, plutôt qu'au Louvre qu'il appelle « le sépulcre des vivants », le faire venir à la campagne, au château de Saint-Germain-en-Laye, le requinquerait et puis voyez... C'est une bouse de cire coulée d'une chandelle.

— Allons, Catherine, vous parlez quand même d'un de vos fils... lui rappelle Ambroise. Un fils qui se sera perdu dans le tourbillon de l'Histoire.

— Vous le défendez, Paré, parce que sans lui, à la Saint-Barthélemy, couic comme les autres parpaillots ! Pensez-vous qu'il s'en tirera ?

— Reine, vous savez bien que, par décret, c'est une question à laquelle je n'ai pas le droit de répondre. Je serais en infraction si je me mêlais de cette fièvre pourpre du roi qui fait partie du domaine réservé à la médecine.

— Alors opérez-le puisque vous êtes chirurgien !

— L'opérer de quoi, du désespoir ? J'ignore où se trouve la tumeur. Voyez plutôt avec son premier médecin qui fait tout ce qui dépend de son art et n'y oublie rien.

— Mazille est un âne ! s'énerve la mère. Près de Vitry-en-Perthois, il avait prédit que le roi ne passerait pas le mardi gras 1574 et, même s'il a effectivement failli y laisser la peau à cause d'une tentative d'attentat des Malcontents, il est toujours en vie, hé…

— Vous avez failli dire « hélas »?

— Je dois le réveiller.

— Il me semble, reine, qu'il vaudrait mieux plutôt le laisser se repo…

— De quoi vous mêlez-vous, Paré ? Vous n'êtes pas médecin ! s'agace Catherine de Médicis, traversant la salle pour grimper sur l'estrade où elle secoue son garçon. Mon fils ! Oh ! Allez ! Ouvre les yeux ! Et vous, Ambroise, faites entrer maintenant le Conseil du roi qui attend dans l'antichambre.

— Je ne suis pas huissier, rétorque le chirurgien huguenot en s'en allant par la porte qu'il laisse grande ouverte.

Alors que sur son trône Charly 9 s'éveille avec des sueurs rouges et que, dans sa santé déclinante, il se met à se plaindre, soupirer et pleurer, sa mère l'engueule :

— Pour l'amour de Dieu, que Ta Majesté cesse de larmoyer ! Tu ne dois pas pleurer. Les étrangers et tes sujets pourraient s'en apercevoir. Un roi ne doit jamais pleurer. Entrez, vous autres !

Entourés par des gardes suisses resplendissants – chausses de deux couleurs, manches à crevés découpés en lanières, cuirasse au buste –, arrivent quelques membres du Conseil que talonne un petit aumônier à col blanc auquel s'adresse aussitôt le monarque dans un souffle :

— Ah, Ronsard… J'ai, ce matin, lu vos trois cents premiers vers de *La Franciade* et ne vous cache pas que je suis déçu…

— Commeint ?!

— ILS NE SONT PAS JOLIS VOS DÉCASYLLABES ! tousse le monarque.

— Ah, ça, c'est sûr qu'il leur manque deux pieds. Ils me font suer eau et sang. Oh, pardon Majesté !

— Ça viendra, Pierre. La suite sera meilleure. Je crois que…

— Bon, s'impatiente Catherine de Médicis. On discutera peut-être versification et comment tourner les rondeaux une autre fois ! Mon fils, tu dois m'écouter, ajoute-t-elle en descendant de l'estrade.

Épaules de sa robe noire immensément rembourrées et gonflées comme des bulles, la reine mère roule ses yeux globuleux pour relater à son fils :

— Nous avons un souci. En ce matin de toute fin mars, une troupe de sept cents fantassins et cavaliers Malcontents fut aperçue dans une plaine de la Beauce non loin de Saint-Germain-en-Laye. Ces soldats, en une nuit, sont venus comme les champignons.

— Que veulent-ils ?

— Faire évader de ce château Navarre et Condé

placés en résidence surveillée. La Môle et aussi Annibal de Coconas, que tu aurais paraît-il chagriné l'an
dernier en le faisant pendre par les pieds, seraient
dans le coup. Gabriel de Montgomery, quinze ans
après avoir accidentellement tué ton père lors d'un
tournoi, s'est mêlé également au complot.

— Comment le sais-tu ?

— Tu me connais. Je n'ai pas eu besoin d'un long
temps pour faire tout avouer à ton frère François pris
de panique.

— Hercule ?

— Oui. Le petit moricaud dit, maintenant, regret-
ter et ce malin de Navarre, la main sur le cœur, jure
évidemment n'avoir rien su.

— Bon, soupire Sa Majesté, encore une trahison !
Quand serons-nous à la millième ? Au moins, s'ils
eussent attendu ma mort prochaine ! C'est trop m'en
vouloir.

— Cesse d'envisager ton décès avant qu'on ait
organisé le retour d'Henri ! ordonne la reine mère en
croisant les doigts. Dans l'intérêt du royaume,
l'Europe doit ignorer les progrès du mal qui te
conduit au tombeau.

— Pourquoi le gnome difforme a-t-il encore
conspiré ?

— Anjou exilé en Pologne et te voyant péricliter,
ton plus jeune frère Alençon rêve de la couronne de
France et, pour ce, s'est allié au Béarnais et autres
Malcontents. À dix-neuf ans, il estime que ce sera à
lui de régner puisque Mes Chers Yeux a déjà un
trône. Mais ça, moi, je ne le veux pas. C'est Henri
qui deviendra Henri III, roi de France !

Dégoûté, Charly 9 est aussi fatigué des luttes intestines :

— Je ne sais plus où j'en suis ! Que deviendra donc tout ceci ? Que ferai-je ? Je suis perdu, je le vois bien !

Cette nouvelle déception n'est pas faite pour arranger l'état du monarque. Ronsard, les paumes jointes, implore Apollon de guérir son gentil roi même si en matière de poésie... il regrette le choix des décasyllabes. L'atmosphère sourde est oppressante. À sa mère qui recommande : « Ta réaction devra être plus violente qu'en février. Tu as pardonné la première conjuration du mardi gras mais là, il faudra faire couper des têtes ! » lui, répond : « Je ne veux plus de sang. »

De l'hémoglobine, il lui en coule suffisamment à la lèvre et à la paupière. Tandis que, près d'un mur, le crayon de Ronsard voyage sur une feuille de papier que l'art veloute, Charly 9 décide :

— Mamma !...

Le roi ne regarde presque plus jamais en face la personne à qui il s'adresse ou parfois il la regarde avec une expression extraordinaire :

— Ma mamma !... Je crie aux méchants, aux traîtres, et désire aller voir Alençon pour lui donner sur les doigts, lui dire : « Cadet, je veux te sortir de la cuisine politique » et s'il refuse le faire jeter dans un sac en l'eau où tout sera dit !

Visage qu'en rides, il rassemble, penche son corps voûté sur un long sceptre, pointe au sol, comme une canne qui tremble. À un membre du Conseil qui se propose pour porter le symbole de la royauté, le monarque répond : « Je suis assez fort et puissant pour tenir mon sceptre et n'ai besoin de l'aide d'autrui. » Catherine de Médicis lève les yeux au plafond décoré de têtes de lions et de guirlandes de chênes :

— Reste assis... Tu vas finir, avec tout cela comme effort, par ne tuer trop tôt que toi-même.

Charly 9 insiste et se redresse encore mais il ne peut rester debout :

— Mes jambes ne sont plus si légères et volantes qu'avant.

Amas retombé dans son trône, pendant que la mère ordonne aux gens du Conseil : « Ayant appris la menace des fantassins en Beauce, la Cour doit cette nuit même se sauver à Paris. Le roi, ne pouvant évidemment tenir à cheval ni dans un carrosse où il serait trop secoué, voyagera à bord d'une barque sur la Seine », Charly 9 s'empare de son huchet :

— Bon, ben puisque c'est comme ça je vais plutôt vous jouer du cor ! KRAA ! KRÏÏ ! KÊÊÊ !!!

En soufflant, il projette des étoiles de sang sur les cuirasses des gardes suisses.

38

Partie du château de Saint-Germain-en-Laye juste avant l'aube, la Cour s'arrête bientôt près d'une rive de la Seine pour qu'on installe dans une barque le roi qui trouve que ça sent autre chose que la vase des berges :

— Snif ! Snif ! Il y a une odeur de poisson pourri.

— Qui a pendu ceci au dos de Sa Majesté ? s'exclame un laquais, y décrochant un hameçon.

— Nous sommes le premier avril, justifie un page.

— J'en ai marre aussi de ça… soupire le monarque couché à bord de la frêle embarcation. Allez, batelier, rame !

La surveillance de Navarre et Condé a été démultipliée. La reine mère les a fait monter avec elle dans son carrosse protégé par mille trois cents soldats.

— Hue !

Sur la route très défoncée en cet endroit de bord de fleuve, le lourd véhicule balance d'une telle inconstance qu'il renverse presque ses occupants les uns sur les autres avec ses mouvements. Dans des secousses qui auraient tué le roi de France, Catherine de Médicis renifle :

— Il y a ici une mauvaise odeur. Henriot, avez-vous un poisson pourri accroché dans le dos ?

— Non, pourquoi ?

Le Béarnais, par la portière, regarde la barque glisser sur la Seine à la vitesse du convoi terrestre et, dedans, son royal beau-frère – sorte de mort qui serait encore joli bien que transi et à demi caché en l'eau. Charly 9 observe également le visage de Navarre de l'autre côté de la vitre du carrosse.

La nuit rêveuse pâlit, scintille et fond dans l'air. Des branches d'arbres s'agitent. L'aube ressuscite les fleurs. Un aigle vole un lièvre vers des serpolets. C'est délicieux d'aller à travers ce brouillard léger et de suivre la chanson du vent où la lumière et l'ombre profilent en broderies.

Le batelier, comme un pierrot de corvée, tire les rames qui rappellent les battements d'ailes d'une libellule. L'alouette monte au ciel vers le jour. Avril fait crier l'insecte dans les herbes ! Fantôme perdu en ces fantaisies fantasques le long de la rivière aux ondes prolifiques, le souverain est bercé comme un enfant qui rêve et glisse sur les eaux parmi les roseaux et la brume. Il s'étonne de tout ce bonheur d'un jour qui se lève encore même si après avoir d'abord reconnu au loin deux chênes dans un long champ, passant devant un hameau brûlé, il peut lire, écrit à la craie, sur un mur noirci :

Il va mourir, ce traître roi !
Il va mourir, ô l'hypocrite !
Il va mourir en désarroi,
Vêtu de son fait inique !
Il va mourir, ô le méchant !

Toujours transpirant écarlate dans une fièvre cathartique qui est tantôt quarte, tantôt continue, cette plaie sanguinolente de Charly 9 – jeune homme stigmate – étend ses bras en croix. Extrémité des doigts dans l'eau de chaque côté de la barque, la lumière, entre les feuillages des arbres, peint sur sa peau des vitraux.

Allez, batelier, rame, remonte la Seine ! Tu accosteras juste devant le Louvre où des soldats porteront le roi sur leurs épaules afin de le conduire en son palais. Pour l'instant, le monarque prend son cor et y souffle une pauvre plainte :

— Couiiic…

39

En sa rêverie avec un doigt contre la tempe et sa santé altérée par les remords dans ce Louvre plus triste encore où chacun s'organise déjà en prévision de sa mort, Charly 9 est assis, seul, au bout de la grande salle du trône.

Chemise trempée de sang et face contrariée, il ne semble plus rien attendre du reste de sa courte existence. Amaigri par l'hémorragie cutanée qui le vide, sa continuelle mélancolie le rend insensible à tout. Las, cassé, bonnet de velours pendant sur l'oreille avec une plume mise à la bizarre, il vit de ses instants où l'âme anéantie paraît être avertie d'un sinistre avenir.

Mais soudain, belle d'éclairs, de fracas et de fastes, Marguerite de Valois déboule dans la salle en portant un bocal d'alcool dans lequel flotte une tête humaine que reconnaît le roi.

— Joseph Boniface, ô mon La Môle ! dit-elle au bocal. Si Hercule m'a mis le pied à l'étrier, c'est toi et non mon mari béarnais que j'ai follement désiré !

Sa jupe va et vient comme une marée et le sol retentit de ses chaussures que l'on ne voit pas tandis qu'autour c'est, en cadences soyeuses, un grand frémissement d'ailes mystérieuses. Aussi seule que son frère l'est sur le trône, en tournoyant dans la salle, elle continue de s'adresser à un bocal :

— Sachons, chéri, que tout bonheur repose sur le sable. Tu vois que c'était fatal ! Pourtant, tous deux, si pacifique fut notre course terrestre.

Ô propos aboutissant à la folie ! Elle fripe ses jupes de soie. Dehors, sur les branches, des corbeaux ont leur bec avide qui cliquette à la vue d'un festin si beau dans un bocal qu'ils regardent par la fenêtre ouverte.

Traces de petite vérole au visage (truc qu'a dû lui refiler l'incestueux Alençon qui en est tellement abîmé), la reine de Navarre tombe à genoux devant le bocal qu'elle pose au sol :

— Plût au ciel, Joseph Boniface, que cette journée du 30 avril 1574 fût ôtée de nos annales plutôt que ta tête que j'ai vue, ce matin, retirée de ton corps si beau !…

Elle s'en bat la poitrine puis dévisse le couvercle du récipient en verre par-dessus lequel elle se penche :

— Ces pleurs sont le sang de mon âme ! dit-elle en laissant tomber des larmes dans le bocal où la chevelure de l'amant barbote dans l'alcool.

— Mais que fais-tu là, toi, folle au front cramoisi, nez rouge ?!… tonne soudain une voix à l'accent italien.

C'est la reine mère, avec son train restant dans l'antichambre, qui arrive dans la salle du trône pour aussitôt en chasser sa fille :

— Hors d'ici, Marguerite, j'ai un rapport à faire

à ton frère. Et n'oublie pas ton bocal de fruit ensanglanté. Par la Mort-Dieu, allez !

Alors que Marguerite de Valois s'en va en reniflant et serrant entre ses bras la tête fraîchement coupée flottant dans le récipient en verre, Catherine de Médicis aux manches bouillonnées et épaules bombées, résille garnie de talismans sur le crâne, fait de grands gestes en prenant Charly 9 à témoin :

— T'as vu qu'elle a racheté la tête de La Môle ? Non mais ça ne va pas bien, la sienne !… Avant que, malgré les suppliques de cette idiote, je le fasse décapiter à la hache, place de Grève, son amant c'était quoi ? Chaque jour, le traître Malcontent écoutait trois ou quatre messes et quelques fois cinq ou six, persuadé que la messe ouïe dévotement allait expier ses péchés. Pour tenir le compte des débauches de La Môle, il suffirait de savoir combien de messes il a entendues ! Et ta sœur adultère qui s'entiche de ce mauvais conseiller d'Alençon complotant contre l'avenir de Mes Chers Yeux !… Ah, vraiment, elle m'énerve. Tiens, demain, premier mai, offre-lui donc un de tes brins de muguet à déguster ! Oh, ben quoi, on peut rire !

L'infecte Jézabel, s'approchant du trône, voit le visage de son fils ruisseler de sang. Elle lui tend un mouchoir. Il le prend, s'essuie, et lui fait signe de s'en aller mais elle poursuit :

— Puisque tu ne veux plus diriger ton Conseil, j'ai donc, moi-même, ordonné de tailler et mettre en pièces les conspirateurs. La Môle, Annibal de Coconas, etc., j'ai eu la joie de les voir étendus par terre un peu loin de leur tête. Ainsi sont les vengeances. À ce festin sanguinaire, j'avais pareillement convié quelques autres mais ils sentirent la fricassée de loin et se sont retirés en Allemagne ce qui fâche fort...

Peu s'en faut que Catherine de Médicis ne s'adresse à Dieu et le maugrée un peu, l'accusant d'ingratitude :

— Enfin, c'est ainsi. Je m'en remets à ce qui est. Parlons d'un autre sujet. Jean des Galans, alchimiste et sieur de Pézerolles (un sacré dépensier), a été retrouvé sans le sou (comment est-ce possible ?) puis pendu à un gibet peint en... doré ! C'est amusant, hein ?

Charly 9 pose horizontalement les dernières phalanges de ses doigts sur ses paupières. Cela le soulage. La reine mère, purgée de fils qu'elle chie les uns après les autres sur le trône de France, en a encore une bien bonne à dire ! Alors que le monarque a les yeux troubles, la tête lourde et qu'un ennui d'on ne sait quoi l'afflige, la veuve en noir relate :

— Autour de Saint-Lô en Normandie, le Breton comte de Matignon va mettre aux arrêts Montgomery revenu d'Angleterre ! Alors, celui-là, je vais le soigner. Sous couleur de punition d'un conspirateur, ce sera ma vengeance privée que je dois à la mémoire de Henri II, mon défunt époux bien-aimé ! Décapité, il sera écartelé et sa famille dégradée de la noblesse. Je te révèle ça en secret, sous la custode comme on dit.

Catherine de Médicis frappe dans ses mains : « Montgomery arrêté !... » répète-t-elle, ses yeux riant comme chantant puis s'étonnant du manque d'enthousiasme de Charly 9 :

— Quoi, mon fils, tu ne te réjouis point de la prise de celui qui a tué ton père ?

— Toutes choses humaines ne me sont plus de rien…

40

Dans les encombrements de Paris, un cavalier d'escorte fait demi-tour pour venir demander à ce cocher de luxueuse litière bâchée réservée au transport d'un malade :

— Pourquoi vous êtes-vous arrêté ?

— Le roi voulait faire ses adieux à quelqu'un.

— Qui ?

— Je ne sais pas. Il m'a juste dit : « Vous vous arrêterez rue du Monceau-Saint-Gervais, le temps que je fasse mes adieux à quelqu'un. »

Tout le convoi royal immobilisé bloque maintenant entièrement la rue. Des vendeurs à la sauvette passent entre les chevaux des soldats, mêlant leurs cris pittoresques à ceux des commerçants devant les boutiques : « Ah, mes beaux navets ! Navets ! Chicorée, chicorée ! Noir à noircir ! Couvercle à lessive ! Peignes de buis ! Chaudronnier ! Qui est-ce qui veut de l'eau ? »

« Ah, puterelle, corne de bouc ! Foutredieu !… » Pendant ce temps, dans le sombre escalier intérieur d'une maison très Renaissance, le roi ne tient plus sur ses jambes : « Vierge enceinte ! » À chaque marche qu'il gravit, il respire avec peine. Il cherche son

souffle en jurant : « Mort de ma vie ! Hil de pute ! »,
s'étouffe sur le palier du premier étage – « Si m'ait
Dieus ! Filz à putein ! » – où il cogne contre une
porte qui s'ouvre sur une belle qui rit :

— Que voilà donc, sire l'amant, un beau langage !
Donne-moi la main.

Marie Touchet tend un avant-bras nu qui trahit
sous la peau maintes veines en serpents. Lui, sur le
seuil du frais oubli qui l'exile de ses espérances
noyées, n'a guère la force d'aller plus loin. C'est elle
qui le porte jusqu'au lit. Quand elle se penche pour
l'y allonger dessus, il voit les seins sous la chemise :

— Marie !…

Dans la rue, des soldats s'impatientent en regardant la maison Renaissance :

— Il va y rester longtemps ?

— Normalement, pas trop. En l'état où il est, ça
devrait être vite fait ! répond un savetier du coin.

— C'est qu'on doit le conduire au château du
bois, nous !… grogne le capitaine d'escorte. À Vincennes surnommée Vie saine, les médecins préten-
dent qu'il sera mieux que dans les miasmes de la
ville-chef du royaume.

Descendant de sa mule chamarrée, un prélat du
cortège, qu'offusque cette visite qu'il considère
comme un tour aux putes, se signe et prédit en latin :
« *Sane rex ipse inter…* bla, bla, bla… *acceleratum
vitae finem* » (Le roi en allant chez elle… bla, bla,
bla… précipite la fin de sa vie.) Couvrant les derniers
mots de l'ecclésiastique, les cris des marchands de
chandelles, porteurs d'eau, etc., reprennent – « De la
bonne encre pour écrire ! », « Harengs frais ! »,

« Refaire les seaux et soufflets ! », « Qui a de vieux chapeaux, vieux bonnets ? » – tandis qu'à l'étage de la maison, Charly 9, sur le corps de Marie Touchet, s'emploie de bon cœur :

— Enfin, au port pour ce qui me reste de vie et pour la mort !… Marie, tu penseras parfois à celui qui ne songeait jadis qu'à aimer ton corps.

Il l'embrasse des orteils jusqu'à la pointe des cheveux avec des stations en des lieux d'éclairs puis au creux d'une ombre. Ici, il grommelle d'autres salamalecs, hélas inaudibles, mais s'y attarde en un long stage pour des dévotions d'usage pendant que dans la rue les soldats, faisant les cent pas en contemplant leurs souliers, trouvent que ça traîne et qu'au bout de la voie, des charretiers râlent : « Pourquoi on ne passe pas ? »

— Ah ben ça, pourquoi la rue est bloquée…

Charly 9 encore vivant, un cri unanime commence déjà contre sa mémoire rue du Monceau-Saint-Gervais :

— Bon, là-haut, ça va bientôt finir, oui ?!

Le roi à l'étage, souffle court et miné par la fièvre, tousse beaucoup en trépignant sur Marie Touchet qui s'ouvre soudainement en une apothéose :

— Aaah !…

« Voilà, c'est fait. Allez, tous en selle ! » ordonne le capitaine d'escorte que contredit un chapelier de la rue :

— Ça m'étonnerait. Il ne quitte jamais sa maîtresse sans en avoir joui trois fois.

— Quoi ? Trois fois ?!…

« Sire, il ne faut pas que Votre Majesté hasarde

trop ainsi sa personne. Elle nous est si chère ! » lance un impatient lèche-cul du cortège mais le roi s'exclame :

— Et maintenant, aux fesses !

— Oooh !... se désole l'ensemble de la rue.

— Non, pas par là. Aïe. Si. Ouiii !... dit Marie.

— Hé, faudrait savoir ! On n'a pas que ça à foutre non plus ! se plaint un fruitier qui, depuis plus d'une heure, n'a pas vendu une prune de Damas.

Tout halète, n'est qu'effort et mouvement sur le lit et Touchet en a des rires d'alouette.

— Elle n'est pas protestante ? demande un tailleur d'habits. Je croyais que les huguenots condamnaient la sodo...

— Oui, oh... soupire un chaudronnier tandis que l'altesse rentre et ressort par une porte basse.

— Aaah !...

— Et de deux ! compte le capitaine sur ses doigts.

À nouveau la blanche souplesse de la hanche de Marie et ses cheveux qu'ondoie un parfum où le souverain plonge son visage et la gaîté qu'elle feint sachant qu'elle allège son amant qui la sert encore et autrement dans des bruits répercutés comme par des dieux de fonte jusqu'au troisième « Aaah !... ». Elle se retourne dans les draps, des pieds à la tête, couverte de sang tandis qu'on entend en bas :

— Bon, c'est bon ? On va enfin pouvoir y aller ? Il est vidé, le monarque ?

41

— Nourrice, que de sang autour de moi ! N'est-ce pas celui que j'ai répandu ?

Dans le très haut donjon de la forteresse de Vincennes, en des draps venant d'être changés mais déjà écarlates, le roi est alité et sa nourrice assise le veille au chevet :

— Majesté, c'est vrai que cette maladie est un étrange phénomène et que des sceptiques voudront sans doute un jour vérifier que cela fût naturel…

— C'est tout le sang que j'ai fait verser qui ressort par ma peau !

Déchirure de l'ensemble des vaisseaux capillaires, le souverain sue de l'hémoglobine.

— Ah, ma nourrice, ma mie, ma nourrice, tant de sang et de meurtres. Ah, que j'ai suivi un mauvais Conseil ! Il y avait d'autres solutions qui n'auraient pas offensé les étrangers ni donné à parler à la postérité mais j'ai fait massacrer tellement…

— Taisez-vous, Sire. Ça ne sert plus à rien et vous allez transpirer davantage.

Madame Portail, au gai parfum de fleurs comme s'il avait plu un bon orage, a joliment décoré de perles et d'atours la tête du roi, appuyée contre un oreiller, que des artistes dessinent, debout autour du lit. Charly 9, en chemise de nuit sous les draps humides, demande à sa nourrice huguenote :

— Des gens sont morts dans votre famille à cause de moi ?

— Oui, Sire.

— Raah… Et parmi vous autres, les dessinateurs, y a-t-il un protestant ?

— Moi, Majesté, répond l'un d'eux.

— Sur mes ordres, certains de vos parents ont-ils été égor… ?

— Presque tous.

— Rooh…

Le roi se met à grelotter comme un oiseau sous un toit en hiver quand Pierre de Ronsard pénètre à son tour dans la chambre. Madame Portail laisse sa chaise à l'illustre membre de la Pléiade qui s'y assoit.

— Ah, mon poète… soupire l'altesse en tournant seulement les pupilles de ses yeux chassieux vers Ronsard afin que les dessinateurs puissent continuer à travailler. J'ai lu la suite de *La Franciade*. Ça ne s'améliore pas non plus cette affaire. Je n'y retrouve plus votre musique habituelle.

« Dix pieds, Majesté. Dix pieds… » justifie Pierre tandis qu'un des artistes, avec un ruban, prend les mesures du monarque : « Alors, combien de pieds et de pouces ?… »

— Après ma…, lorsqu'on m'aura revêtu d'une robe de terre, Ronsard, poursuivrez-vous la rédaction de *La Franciade* ?

193

— Franchement, je ne crois pas, Sire.

— Que ferez-vous alors ?

— Sachant que celui qui risque de devenir votre successeur ne m'apprécie guère, je pense que je retournerai dans mon prieuré de Saint-Cosme en Touraine rimer sur les amours…

— … Et toutes sortes d'autres salades, n'est-ce pas ? *Je cueillerai, compagne de la mousse, / La raiponcette à la racine douce…*, cite de mémoire le souverain. C'est joli.

— Douze pieds, Majesté. Douze pieds…

— Même en matière de poésie on ne gardera pas un bon souvenir de moi, quoi ! regrette aussi le roi alors que le poète se lève, essuyant ses yeux humides et faisant semblant de se moucher, pour aller regarder par la fenêtre.

En bas de la vieille et sombre forteresse, les jardins sont en désordre ; le lac et même la belle source à demi comblés mais cela fait pousser deux vers aux lèvres du poète près de la vitre :

*Ah, malheureux cent fois, vieil chasteau de Vincennes
Parc et bois malheureux, coupables de nos peines.*

Derrière Ronsard, Charly 9 demande : « Douze pieds ? » puis : « Qu'est-ce qui a bien pu vous plaire, Pierre, dans la Saint-Barthélemy ?… »

« Commeint ?! », s'exclame l'aumônier qui est sourd quand ça l'arrange en revenant vers le lit où Sa Majesté n'insiste pas et parle d'autre chose :

— Je n'irai plus à la chasse à courre ni au chien

couchant… Pourtant, j'aimais bien voir ceux-là œuvrer pour débusquer les oiseaux. Sauriez-vous m'en improviser un poème ?… en alexandrins, rajoute le roi en souriant.

— Ah, si c'est en alexandrins…

Sur les tomettes vertes couleur d'herbe, Ronsard va se mettre à quatre pattes au centre de la chambre tel un chien couchant. Il réfléchit ainsi puis se lance en imitant les postures de l'animal de chasse :

Vous diriez à le voir et qu'il est raisonnable
Et qu'il a jugement tant il est admirable
En son métier appris, et accort à fleurer
Les perdrix et les faire en crainte demeurer.

Le poète canin fait mine de renifler :

En quatre coups de nez il évente une plaine
Et guidé par son flair à petits pas se traîne

Pierre avance sur les genoux.

Le front droit au gibier ; puis la jambe élevant

Ronsard lève un avant-bras.

Et raidissant la queue (Bon, là…) *et s'allongeant*
                                                      [devant
Se tient ferme planté, tant il voit la place
Et le gibier motté couvert de la tirasse…

195

Écoutant le poème, le roi a piqué du nez en rêvant. Sur la pointe des pieds, sa nourrice s'approche du lit pour tirer la custode (rideau). Dors, pauvre âme. Le sommeil est le seul bien qui reste aux malheureux.

42

Charly 9, alité, renifle lentement ses bras qu'il place avec peine au-dessus de son visage. Il hume aussi le dos de ses mains, ses paumes, entre les doigts, ses aisselles :

— Je sens bon. Le cadavre de son ennemi sent toujours bon…

En une pièce mitoyenne, fausse chambre mais absolument reconstituée et meublée à l'identique de la vraie, des gens s'affairent dans le calme autour d'une couche d'apparat.

Après l'avoir revêtu d'une chemise à dentelles et d'un magnifique pourpoint tissé d'or, de chaque côté d'un buste en bois créé par le sculpteur du roi, ils fixent aux épaules des bras articulés dont ils joignent les mains gantées en position de prière sur le ventre.

À la base du buste et par-dessus le couvre-lit brodé d'une scène de chasse à courre, ils installent de longues jambes en cerisier à la taille exacte de celles de Charly 9.

Surveillé par le grand chambellan, le maître de la garde-robe glisse des bas roses moulants puis, autour de la taille, une trousse à crevés garnie et très gonflée de linge pour faire plus vrai. Souliers ornés de rosettes et rubans aux talons couverts de cuir, voilà ce mannequin chaussé. Il n'y a plus qu'à mettre la tête. Des valets de chambre l'apportent avec grand soin. Elle est en cire rose et fut moulée la veille à même le visage du souverain.

— Si jamais le monarque avait conservé un mince espoir de guérison, le moulage de son visage lui a fait comprendre qu'il est perdu, commente le maître de garde-robe en aspergeant à l'excès, d'essence de muguet, les habits royaux du mannequin.

— Il le sait, dit le sculpteur du roi qui dispose la tête en cire entre le bois des épaules. Pendant que j'officiais, hier, Mazille est venu lui confirmer que la faculté de médecine le déclarait sans remède, ne prescrirait plus que des prières, le remettait aux bons soins du Père Éternel et que d'ici peu, dans les cieux parmi les bienheureux et bienheureuses, il s'éjouirait avec les anges.

Au creux du col de la chemise formant une fraise tuyautée pour masquer l'absence de cou, le sculpteur met bien en place, comme dans un écrin, le visage en cire et, tandis qu'il rectifie la coiffure postiche, demande à l'un des dessinateurs présents :

— Avez-vous réussi à lui prendre un cheveu pour qu'on le mêle aux faux afin de donner plus de naturel ?

— Oui. En mesurant sa largeur d'épaules, j'ai fait mine d'en avoir arraché un accidentellement.

— Qu'a-t-il dit ?

— Aïe.

Dans ce haut donjon de Vincennes où s'est aussi installée la Cour, on entend grimper en haut des marches de l'escalier les pas légers d'une jeune femme qui se dirige vers la porte de la chambre (la vraie) qu'elle ouvre mais Élisabeth d'Autriche est vite refoulée par un capitaine qui accourt et lui dit en français :

— Vous n'avez pas le droit d'entrer ! Ordre de la reine mère.

Par l'entrebâillement de la porte, Élisabeth a juste le temps de voir la peau de son mari maintenant couverte de taches noires qui lui font immédiatement penser à un empoisonnement :

— *Teufel !*

Le soldat la pousse vers l'autre porte :

— Allez plutôt contempler à côté votre époux au visage de cire.

La tendre et jeune reine rousse égarée en cette France pleine de crimes étranges ne la ramène pas, se met en sourdine avec tout ce dégoût qu'il lui faut taire. Traitée à la fourche selon la volonté de sa belle-mère, elle finit de gravir l'escalier jusqu'en haut du donjon pour respirer l'air sur la terrasse où elle se perd des yeux dans la voûte du ciel.

Un étage au-dessous se précipitent sur les marches d'autres pas de femme autrement plus lourdingues que ceux d'Élisabeth. C'est la comtesse d'Arenberg qui s'essouffle en filant dans la chambre (la vraie). Elle en ressort aussitôt pour aller demander dans l'autre :

— Où est la Vénus teutonique ? J'espère que mon retard n'a fait manquer aucune traduction. En plus, je me suis trompée de chambre. Reconnaissez qu'il y a de quoi confondre… Je parle surtout de la chambre parce que côté roi, celui-là, tout rose et frais, est plus joli que l'autre !

43

— Sire, c'est moi, Sorbin, votre directeur de conscience… Il est maintenant huit heures en ce dimanche 30 mai 1574, jour de la Pentecôte. Puis-je entrer pour vous parler une dernière fois des mystères du Ciel et pour l'extrême-onction ?

— Non… je ne veux rien entendre qui ressemble à un psaume ou à un prêche. Je n'ai plus que faire de ces balivernes. Allez plutôt proposer ça à l'autre d'à côté, le voisin joli.

— Je vois que vous êtes en entretien alors je reviendrai tout à l'heure… soupire l'ecclésiastique, refermant la porte de cette chambre où l'atmosphère est déjà lourde et où le roi, dont les organes vitaux commencent à se barrer en sucette, regarde Catherine de Médicis assise à son chevet.

— Tu te souviens, mamma, lors de mon sacre à Reims, au lieu d'avoir l'assistance des habituels douze pairs de France comme autant de signes du zodiaque, par erreur il y en a eu treize. On ne peut pas dire que ça m'ait porté chance…

La mère est en larmes :

— Vais-je voir mourir l'un après l'autre tous mes enfants ?!

Charly 9 tourne doucement la tête pour observer les taches noires de sa peau :

— Mamma, est-ce toi qui m'as tué ?

La reine mère sort d'une de ses manches une feuille de papier qu'elle déplie :

— Mon fils, il faudrait que tu signes maintenant cet acte qui désigne officiellement Mes Chers Yeux, non pas Alençon, comme ton successeur et qui me confie la régence en attendant son retour de Pologne.

— Quand, à Varsovie, Anjou apprendra ma mort, il manquera défaillir de joie... Mamma, le samedi 23 août de l'an dernier, le complot protestant contre le Louvre a-t-il vraiment existé ? J'ai ouï conter que cette thèse d'assassinat de la famille royale avait fait long feu depuis longtemps. La veille, Coligny m'avait chuchoté à l'oreille de me méfier de toi et d'Anjou.

La reine Catherine, s'emparant d'encre et d'une plume, insiste en remuant son papier :

— Il est important que tu signes car les Guise se sont soudain trouvé je ne sais où une descendance venant de Charlemagne et revendiquent donc pour un des leurs le trône naguère ravi, disent-ils, par Hugues Capet. Ah, je te jure... se plaint-elle devant son fils crevard, toi bien sûr tu t'en fiches puisque tu vas bientôt rejoindre la salle des caveaux de Saint-Denis mais moi je n'en ai pas fini avec les problèmes terrestres...

C'est de la main gauche que Charly 9 tente maladroitement de tracer son nom alors qu'il est droitier.

— Tu ne peux déjà plus bouger l'autre bras, mon garçon ?

— Hier, le mari de madame Portail a tenté de me

faire une saignée. Mais comme c'était sa première fois, il a piqué un nerf et me voilà paralysé de ce poignet jusqu'à l'épaule.

— Une saignée, à toi ?! s'étonne Catherine devant le monarque ruisselant de sang. Ah, t'en avais bien besoin… Tu as encore eu une riche idée en voulant l'anoblir, ce mari de nourrice !

— Je ne veux pas qu'il en pâtisse. On fait parfois des erreurs…

— Oui, ben, de ce côté-là aussi ça suffit ! En tant que roi catholique, tout comme tu devras mourir selon la tradition en public devant des grands seigneurs et gentilshommes qui vont arriver, il faut que tu reçoives d'abord les derniers sacrements et te con…

— Me confesser ? Je n'oserais parler. La honte me dévore autant que la douleur en pensant à des choses. Ma mémoire ne me dit rien qui me console. Quand je sortais seul du Louvre, déguisé en cocher, au mendiant errant dans la ville je ne donnais un écu que s'il jurait ! poursuit l'altesse qui jette, de la main gauche, des hosties à ses chiens s'entre-grondant près d'un coffre.

— Mais que te prend-il, mon fils ?!

— J'huguenote. Je fais aussi souvent des grimaces et des pieds de nez à la Croix qui, je pense, m'est tombée dessus et m'a frappé à mort le jour de la Saint-Barthélemy.

— Le pape était heureux du massacre !

— L'absolution du pontife ne fit pas l'absolution de ma conscience.

Le souverain crève tous les arguments de sa mère

comme ces bulles de savon sur lesquelles il suffit de souffler pour les détruire, mais la Magicienne Florentine insiste :

— Quand bien même tu ne serais pas obligé, à ta place, moi, je me laisserais confesser, huiler, car on ne sait jamais, précise la superstitieuse. Je vais aller demander à Sorbin de revenir.

— Oh, s'il oublie ce n'est pas grave. L'Enfer, je l'ai déjà vécu sur terre. Ce fut un dur moment et j'en frissonne encore. De toute façon, Dieu ne donne le ciel qu'en peinture et je n'en peux plus de qui va à pied au temple, sur l'âne à l'église, ou en pelant les bosses d'un chameau pour rejoindre La Mecque. Je préférerais voir ma douce Élisabeth.

— On a alerté ta femme mais elle a fait répondre qu'elle n'avait pas le temps.

— Ah bon ?...

Le roi s'en mord une lèvre. Jeune jusqu'à la mort, lui qui n'aura jamais vingt-quatre ans, son pouls faible se met à battre très inégal. Fantôme de vie, il regarde longuement le ciel derrière la fenêtre, entend le vent qui fait virer la girouette :

— Tu diras à Marie que... que... oh, et puis rien.

44

D'une main sûre et sans trembler, la lame du scalpel d'Ambroise Paré tranche profondément, de la gorge jusqu'au bas du ventre, la peau et la chair comme on ouvre une fermeture Éclair, faisant apparaître au jour tous les viscères du roi de France.

Le corps est allongé à plat dos sur une table en marbre couverte d'un linceul. Paré tourne autour du meuble, embarrassé par la présence de tant de médecins, magistrats et gentilshommes agglutinés, qui le gênent dans ses déplacements et le font râler :

— Mais poussez-vous donc. Que de monde pour cette *corporis humani dissectio* !

— C'est la première fois dans l'histoire de France qu'on pratique l'autopsie d'un roi, lui rappelle un haut magistrat dont la présence est obligée. La reine mère a donc consenti à l'ouverture de son fils bien-aimé pour faire taire les rumeurs d'empoisonnement dont on la soupçonne.

Ambroise sourit d'une des commissures de ses lèvres :

— Ouverture en présence de gens tout de même soigneusement sélectionnés par elle… qui, craignant tant qu'un attentat contre la régente libère le trône, s'imagine que des protestants, guisards ou Malcontents, pourraient mettre de la poudre sous son lit pour le faire exploser. Hier soir, à genoux, elle a elle-même vérifié sans rien trouver.

— Et si plutôt que de commenter vous faisiez votre travail, tripier parpaillot ? suggère Mazille, premier médecin très catholique. Quant à vous, secrétaire, notez.

Celui qui est chargé de la rédaction du rapport d'autopsie commence à lire à voix haute ce qu'il a déjà écrit :

— *En l'après-dîner du lundi 31 mai, le corps du feu roi fut ouvert audit lieu de Vincennes pour voir et cognoistre quelle peut être la cause de la mort à fin d'en faire un rapport à vray qui sera signé.*

Ambroise, en soutane à col plat sans manches, plonge ses avant-bras dans la poitrine du décédé d'où il relève des bas morceaux qu'il renifle puis décrit scrupuleusement alors que le secrétaire trace d'une plume trempée dans l'encre :

— *Parenchyme du foie desséché, exsangue et noirâtre aux extrémités des lobes qui regardent les parties camuses.*

— Vous rayerez « noirâtre », commande le premier médecin à l'employé d'écriture.

— La vésicule biliaire, reprend le chirurgien, est ramassée sur elle-même et un peu noire.

— Qu'on n'écrive pas « noire », dit Mazille.

L'encre, aux ordres, coule sur le papier :

— *Rate en bon état. Aucune altération de l'estomac et continuité normale avec le pylore. Les deux reins intacts ainsi que la vessie et les uretères.*

« Mais alors, de quoi est-il mort ? » s'impatiente un gentilhomme alors que Paré en arrive à :

— *Omentum plus fin que la normale et en partie rompu. Cœur flasque et comme desséché : toute l'humeur aqueuse, habituellement contenue dans le péricarde, ayant disparu.*

— Ça, c'est à cause de ses amours ! justifie le premier médecin sermonneur. S'il ne s'était pas jeté avec autant d'ardeur sur sa maîtresse…

— *Le poumon adhère aux flancs du thorax depuis les fausses côtes jusqu'aux clavicules avec une telle force qu'on ne pourrait l'en détacher sans le déchirer ou le mettre en pièces.*

— Il aura trop soufflé du cor et ça lui aura détruit la poitrine ! se débarrasse Mazille. C'est vrai, au Louvre, ce qu'il a pu nous casser les oreilles avec son huchet qu'on pensait toujours qu'il allait finir par y cracher un poumon !

— *Présence d'une vomique comparable à de l'écume qui a reflué dans la trachée et l'a obstruée.*

— C'est bien ce que je disais !

— Cela n'explique pas les transpirations de sang, chipote Paré.

— Monsieur le premier chirurgien, il faut bien que la nature conserve sa part de mystère. Allez, c'est bon, pour l'essentiel on a compris alors qu'on fasse enfermer le tout dans un cercueil en plomb. On est bien d'accord sur ce qu'il faudra déclarer, Paré ?

— Je m'en lave les mains, répond Ambroise en le faisant dans une bassine pleine d'eau.

Quittant la salle de dissection, le vieux chirurgien à barbe grise entend fondre derrière lui quantité de courtisans coiffés de plumes en touffes ou aigrettes qui, connaissant les bruits qui courent, s'empressent aux nouvelles. Le mémorialiste Brantôme écrira plus tard dans ses mémoires : *« Ambroise Paré nous dit en passant et sans longs propos que le roi avait trop sonné de la trompe à la chasse au cerf et ne nous en dit pas plus. »*

Resté devant la porte, le premier chirurgien est plus disert :

— Nous avons pu constater *de visu* l'état des viscères exempts de poison. Les bavards perdent leur temps. Le roi est mort d'avoir trop sonné du cor et d'abus d'exercices amoureux. Ce n'est pas la reine Catherine mais la chasse et l'amour qui l'ont tué. Puis, très en verve, il fait le poète :

Pour avoir aimé trop Diane et Vénus aussi
L'une et l'autre l'ont mis en ce tombeau icy.

Dans la fausse chambre du roi, le vrai corps du monarque repose maintenant sous le lit. Dessus se trouve le mannequin au visage de cire vierge ressemblant au défunt. Il est couronné, entouré par moult cierges qui flambent et des soldats aux armures étincelantes paraissant eux-mêmes statufiés. Assis sur des coffres, seigneurs et gentilshommes ont la larme à l'œil. Le chancelier de Birague renifle près du roi de Navarre bien marri. Depuis trois ou quatre heures, ils sont là à regarder l'effigie du souverain déguisé en ange de lumière. Il va être midi, ils ont faim.

C'est alors que – admettons que Dieu fasse bien les choses – la porte de la chambre s'ouvre sur un maître d'hôtel et des officiers de bouche poussant la nef royale à roulettes et apportant, en premier service, des mets fumants qui fleurent bon les épices, la cannelle et même le musc. Toute cette nourriture est destinée au roi (?!). On continue de lui servir son dîner et son souper comme s'il était encore en pleine vie. En France, la royauté ne meurt jamais. Les plats sont posés sur des chaises vides. L'huissier de salle en fait la liste au mannequin à tête de cire et jambes en cerisier :

— Majesté, voici du brochet au beurre blanc, des pigeons, des perdrix, et votre traditionnel pâté d'alouettes.

Le roi ne dit pas merci mais monsieur de Sauve, secrétaire d'État, salive. Il se lève et vient prendre avec trois doigts un peu du brochet qu'il porte à ses lèvres :

— Permettez-moi, Sire, d'être votre goûteur. Il ne s'agirait pas qu'on vous empoisonne. Mh... c'est bon ! Je vous laisse la terrine d'alouettes parce que moi j'en ai jusque-là de cette spécialité du Pithivrais.

— Il est goûteux, le poisson ? Et les perdrix, comment sont-elles ? demande Navarre qui arrive pour en déguster une aile. Fameuses !

Tout le monde pioche dans les plats sauf celui des passereaux farcis. La terrine est même glissée du talon sous le lit près du cadavre au sol. Grands seigneurs, cardinaux et gentilshommes se bâfrent :

— Si, respectant l'Étiquette, on doit se relayer pendant quarante jours pour veiller la dépouille, autant prendre des forces.

Un panetier, apportant des miches dans la chambre, s'extasie devant tous les plats déjà vidés :

— Ah, ben ça va mieux, le monarque. Il reprend de l'appétit !

— Oui, répond un évêque. Il aimerait bien maintenant un peu de vin pour faire glisser.

— De l'alcool ? Il n'en boit pas.

— Oh, vous savez, il a beaucoup changé. Regardez-le maintenant avec ses joues rondes immaculées aux rides effacées.

Une petite blonde, soubrette ingénue, et une chambrière brune distribuent à chacun le vin le plus exquis dans des longs verres à patte.

— Ah, que la Vierge crève de la peste si ce nectar n'est pas le meilleur que j'aie bu ! s'exclame le cardinal de Bourbon après en avoir pris trois fois.

— Vous jurez comme Luther et Calvin ? s'étonne près de lui un archevêque. Mais c'est vrai que, par le Trou Madame, on en reboirait bien un coup.

Les deux prélats trinquent :

— À la santé du roi qui régale !

Ils commencent tous à être bien torchés. Des dames et des seigneurs s'embrassent dans les coins. Tandis qu'un écuyer tranchant découpe les grosses pièces de venaison du second service, le poète Ronsard file sur la soubrette blonde : « Comment t'appelles-tu ? Commeint ?! Cassandre ? Tu te moques, ribaude. C'est mon prénom préféré… », dit-il en volant la petite pour s'échauffer dans elle, ailleurs, en la fleur de ses ans.

— J'irais bien, moi, consoler la veuve teutonne ! rit Henri de Navarre, de toutes ses dents teintes du sang des gibiers. Et je ne craindrais l'abîmer telle une vieille blouse usée, crénom !

Mais, se ravisant alors que sa femme Marguerite danse avec un bocal qu'elle enlace, il se rabat sur la chambrière brune qui trouve que :

— Vous sentez fort, Sire béarnais. Une odeur de chien crevé.

— Ce n'est pas moi mais le macchabée dont le couvercle en plomb du cercueil fut sans doute mal scellé.

On ouvre les fenêtres. Des fruits et des gâteaux de carnaval arrivent. Un abbé ivre, soudain pris de scrupules qui l'honorent, propose :

— Ne devrait-on pas chanter la messe et psalmodier des oraisons, hips !

Tous, autour de lui, trouvent l'idée fort bouffonne :

— Et si on invitait plutôt des artistes, des jongleurs ?

Aussitôt, baladins, chanteurs et musiciens viennent soi-disant distraire le feu monarque en cette Cour où le plaisir des fêtes s'entremêle vite à la souffrance des deuils. Alors ça danse, chante parfois sur des airs très grivois. Des mains de duchesses tapent du bout de leurs doigts sur les gants rouges de cardinaux aux paumes un peu trop lestes glissant plus bas que la taille : « Allez, petit fâcheux ! » puis, se jetant dans leurs bras, elles claquent du talon pour danser la gaillarde avec les prélats. Le duc d'Alençon déboule, difforme, en ce joyeux bordel, remarque l'effigie de son frère aux traits détendus semblant enfin en paix parmi des fanfares de renommée. Hercule s'en approche en claudiquant, saisit dans une coupelle quelques premières fraises de juin qu'il écrase entre ses doigts à la verticale de la tête du mannequin :

— Voilà ta représentation plus réaliste, Charly 9...

Le jus de fraise goutte et éclabousse le front en cire. Il ruisselle le long des joues d'un visage paraissant d'enfant en ce siècle d'accidents.

45

— Vous ne levez pas tellement les yeux au ciel pour contempler la Vierge… et, en entrant dans la cathédrale, vous n'avez pas plongé vos doigts au bénitier, grommelle un seigneur assis, portant en travers de sa poitrine une écharpe rouge de catholique.

Son noble voisin à écharpe blanche de protestant chuchote à propos du tridacne géant fixé au mur près de l'entrée :

— L'eau qu'on y trouve me dégoûte tout comme je ne peux pas croire possible que le corps du Christ se trouve en partie dans la rondelle de froment d'une hostie…

— Espérons que Dieu ne s'offensera pas de vos blasphèmes…

La voix d'un évêque pousse son cantique en latin ce qui fait grimacer le huguenot :

— Sottise que de s'exprimer en France dans des termes étrangers. L'esprit distributeur des nations nous appelle à prier seulement en langue naturelle…

Le catholique murmure mille malédictions contre son voisin qui, provocateur, écoute maintenant la messe en croquant négligemment des pastilles.

D'autres parpaillots sont là. Tels des loups, ils font luire leurs yeux dans l'ombre.

Mardi 13 juillet 1574, la cathédrale Notre-Dame de Paris s'étire dans le ciel vide tandis qu'un chœur de cloches dures monte. Sous les rinceaux gothiques fins d'apothéose de l'église épiscopale, l'évêque en chasuble énorme d'or jusqu'aux pieds, étendant son étole, se met à dire l'évangile devant un cercueil en plomb. On apporte le ciboire pour le Salut. *Magnificat* aux flots d'encens. L'ample aisance du prélat épate (les catholiques). La cathédrale est grise tandis que le soleil de juillet brille à travers un long vitrail. Sa lumière pleut en un rayon unique qui rebondit sur la chevelure rousse d'Élisabeth. On dirait alors une sainte en son auréole. Belle et humble au front fier devant l'autel où brûlent huit gros cierges, elle jette de précieuses larmes si tendrement, soupire si doucement, qu'on sent qu'elle ne voudrait déranger personne.

— Elle a l'air de ne plus penser qu'à retourner en son pays, dit une duchesse à sa voisine princesse qui, ensemble, observent la jeune veuve étrangère.

— Si la teutonne devait partir en Autriche, il lui faudrait dire adieu à sa fille élevée à Amboise car la petite devra rester ici puisqu'elle appartient à la Couronne de France.

— Croyez-vous, princesse, que, comme le prétend la rumeur, Élisabeth pourrait épouser en secondes noces le nouveau roi de France lorsqu'il sera rentré ?

— Épouser Henri III ? Hi, hi, hi !… Mais cette majesté fot-en-cul, « ELLE », ne voudra jamais ! Ah, ah, ah…

— Oh, c'est vrai, j'avais oublié. Vous avez raison !

Les deux commères de la Cour se tiennent les côtes, pliées de rire sous l'œil en bois d'un Jésus indulgent et bénévole. Le dernier coup de cloche sonne. Des soldats soulèvent le cercueil caressé par des bouquets de fleurs au gai parfum sauvage. La jeune veuve autrichienne se lève en robe couverte de perles noires et long manteau de deuil. Yeux brillants comme des flambeaux, au sortir de la messe, elle égrène en silence son chapelet entre dix capucins.

— Vive le roi éternellement !…

Après ce cri de capitaine lancé devant la cathédrale, un chariot d'armure drapé de noir, sur lequel fut placée la dépouille du monarque, s'ébranle doucement au pas de lourds chevaux caparaçonnés de noir. Des tambourins voilés de crêpe sonnent. Les gardes suisses relèvent leur hallebarde et se mettent à marcher.

— En avant pour l'église de Saint-Denis où reposent les rois de France ! indique maintenant le soldat hurleur.

« Ce n'est pas tout près. On n'est pas arrivés… » ronchonne un duc passant devant un autre qui s'en offusque : « Eh bien, ne vous gênez pas, vous ! » Une immense foule de curieux observe le cortège plein de grands personnages qui cherchent leur place dans le convoi :

— Laissez-moi passer !

— Et pourquoi, je vous laisserais passer ?

Catherine de Médicis est absente – l'Étiquette interdit à une reine mère d'assister aux obsèques de son fils souverain. Mais malgré la misère du royaume elle a voulu des funérailles somptueuses avec toutes les magnificences qu'on a coutume d'observer aux enterrements des rois de France.

Dix mille Français pour aller jusqu'à Saint-Denis par les rues étroites où des épaules s'entrechoquent. Les tons montent :

— Vous m'avez bousculé. J'ai grand-peur que cette offense soit mal pardonnable.

— Ne m'échauffez pas les oreilles. Vous savez qui je suis ?

— Je le vois à votre écharpe : un fruit pourri de la huguenoterie.

— Quoi ?!

Le protestant, aussitôt insulté, se défend en disant qu'il y allait de son honneur s'il ne répondait pas. Par la mort-Dieu, il poignarde le catholique ! La colère soulève des poitrines. L'un cherche une cordelette pour étrangler son voisin. Un coup de feu est tiré à brûle-pourpoint. Quelqu'un, s'armant d'une bouteille, la casse sur la tête de l'assassin :

— À bas les guisards !

Orage de colère et tourbillon d'injures, c'est l'heure du retour des haines amassées. Ça se charge d'estoc et de taille aux cris aussi de :

— Papaux ! Papaux ! Papaux !

Toute la procession remue et frétille. Pour l'un passant devant l'autre, soudain, que de deuils ! Les seigneurs changent de place, s'engueulent, se menacent. Jamais ces gentilshommes ne s'accordent sur les prérogatives. La pompe funèbre se dérègle. À grands coups de poignard, elle se saccage :

— J'ai cette épée si bien luisante qui mettra en quartiers le prochain qui passera devant moi !

— Hérétique, relaps, excommunié, diable !

Satan, grinçant des dents, convie le cortège aux enfers. L'air se crève de tonnerres :

— Si m'aït Dieus ! Semidieux ! Foutre de Dieu ! Gast-blé !

Putain, ça chie ! De la procession qui arrive au carrefour du Gros-Tournoye pour prendre la rue des Poulies, Marie Touchet, chez elle, entend le murmure des cris au loin :

— Hilh de pute macarel ! Filz à putein ! Cordieu ! Mort de ta vie ! Nom de bleu !...

Par sa fenêtre ouverte, il semble à la blonde paresseusement alanguie sur son lit que tous ces blasphèmes reconstituent la voix de son amant décédé qui progresse, les pieds devant, dans Paris. Son cercueil paraît suivi d'une traînée de poudre qui s'enflamme et explose :

— Catholique, je t'endormirais bien pour un long temps !

— Ce n'est rien de causer, huguenot, si l'on n'a bon courage.

— J'irai devant toi jusqu'à Saint-Denis !

— Si Dieu te fait la grâce de vivre jusque-là...

Le problème de l'eau et du feu ensemble... Les deux clans s'affrontent sous des traits d'arbalètes. La haine religieuse les égare. La colère recuit en cette guerre civile ambulante. Rageusement, la terreur s'étend. Les atrocités s'embrasent. Les Malcontents, ni d'un côté ni de l'autre, se mêlent aux festivités :

— Siècle d'âpretés juives !

Ah ben, tiens, on les avait oubliés, eux... Une femme, tenant par les pieds son nourrisson emmailloté le faisant ressembler à un gourdin, en fout de grands coups sur la gueule d'un type dont on n'est même pas sûr qu'elle connaisse sa religion. Le fade nouveau-né s'éclate.

— C'était un sot et un hâbleur !

— Qui ? Le bébé ?

— Mort aux assassins de l'amiral !

Et c'est reparti ! Les piques se dressent comme des épis de blé. Le cortège fait sortir des cours, aboyer, les chiens en fureur. Sur le pas de sa porte, une personne raisonnable se lamente, visage dans les paumes :

— Le papier pleurera quand on écrira ce qui s'est produit... Il est absolument nécessaire que vous guérissiez ce désordre religieux le plus rapidement possible ! crie-t-elle ensuite à un capitaine qui écarte ses mains en signe d'impuissance.

La princesse et la duchesse, commères entrevues à Notre-Dame, s'arrachent les cheveux. Quant aux deux nobles qui parlaient avant la messe, ils sont morts l'un et l'autre. Lorsque cette neige humaine aura fondu il ne restera que de la boue. Le sang, de nouveau, coule à flots au royaume de France. Un Malcontent à chapeau mou en peau, installant une arquebuse de guerre si lourde qu'elle nécessite pour viser l'appui d'une fourquine, espère que sa poudre sera assez fine pour faire bonne fauchée. Il tire en jurant comme un païen. Le plomb destructeur fait tomber nombre de sujets. Les funérailles tournent au carnage. On voit aussi de tous côtés tomber l'espérance. Le doigt de leur Dieu vole le long du cortège, ouvrant un abîme. Quelqu'un, dont on se demande bien ce qu'il fout là, crie : « Allah akbar !... » Ah ben, tiens, il ne manquait plus que lui pour que la fête soit totale.

Navrantes obsèques saint-barthélemiesques et concentré du monde, de la dépouille royale, maintenant on n'en fait pas plus de cas que d'une chèvre morte. Les plumes de héron, cygne, autruche, paon, perroquet, des chapeaux s'envolent par des venelles perpendiculaires. Valois et Bourbon se pourchassent ainsi que seigneurs protestants et docteurs en Sorbonne qui détalent. En arrivant sur la plaine de Saint-Denis, pour suivre la famille royale, ils ne sont plus que cinq gentilshommes éclopés se demandant comment on en est arrivé là. Devant la basilique, la jeune veuve teutonne aux grands yeux d'azur tristes soupire en songeant au destin de Charly 9 :

— Décidément, quand ça ne veut pas...

Arenberg traduit en allemand : « *Wahrhaftig, es soll wohl nicht sein...* » puis soudain s'étonne : « Ah, mais vous parlez français, reine Élisabeth ?! »

— On a forcé mon mari, le défunt roi, à sortir du monde avant le temps...

La traductrice n'en revient pas :

— Vous parlez français ! Mais pourquoi ne pas l'avoir fait avant ?!

Élisabeth lève les yeux au ciel, regarde les nuages qui passent et répond :

— Qu'y avait-il à dire ?...

Épilogue

Le 5 décembre 1575, Élisabeth d'Autriche est retournée en son pays s'enfermer dans un couvent où elle a prié le reste de sa vie (jusqu'à trente-huit ans) pour la paix entre toutes les religions. La chétive Marie-Élisabeth qu'elle a eue avec Charly 9, restée en France, est morte à cinq ans. Marie Touchet s'est mariée avec François de Balzac (ancêtre d'Honoré) dont elle a eu deux filles qui furent l'une et l'autre maîtresses d'Henri IV. Charles, l'enfant naturel né de sa liaison avec Charly 9, est devenu duc d'Angoulême. Marguerite de Valois, séparée de son mari béarnais malodorant, meurt à soixante-deux ans. Anjou devenu Henri III est assassiné par un moine en 1589. Alençon étant mort cinq ans plus tôt de la tuberculose, ce fut la fin des Valois. Le Bourbon Henri IV arrive sur le trône et est assassiné par un catholique en 1610. La très superstitieuse Catherine de Médicis, à qui l'astrologue Cosme Ruggieri avait prédit qu'elle mourrait près de Saint-Germain, ne voulut donc plus habiter au Louvre car il dépendait de la paroisse Saint-Germain-l'Auxerrois et refusa aussi de retourner à Saint-Germain-en-Laye évidemment. En 1589, elle fut très malade à Blois. Au curé venu pour l'extrême-onction, elle a demandé son nom. Il s'appelait… Saint-Germain ! Le mausolée prévu pour Charly 9 à la basilique Saint-Denis ne fut jamais construit. Ses restes furent jetés à la fosse commune en 1793.

Remerciements pour leur collaboration plus ou moins volontaire à :

Brantôme, *Les Vies des hommes illustres et grands capitaines français* / *Les Vies des dames galantes* (chez Jean Sambix le jeune) / Michel Simonin, *Charles IX* (Fayard) / Emmanuel Bourassin, *Charles IX* (Arthaud) / Georges Bordonove, *Charles IX* (Pygmalion) / Janine Garrisson, *Les Derniers Valois* (Fayard) / Marie-Joseph Chénier, *Charles IX ou l'École des rois* (Bossange et Compagnie, 1790) / Jules Michelet, *Histoire de France* (Éditions des Équateurs) / Pierre de L'Estoile, *À Paris pendant les guerres de religion* (Arléa) / Mérimée, *Chronique du règne de Charles IX* (GF Flammarion) / Agrippa d'Aubigné, *Les Tragiques* (GF Flammarion), *Histoire universelle* (Droz) / Abel Lefranc, *La Vie quotidienne au temps de la Renaissance* (Librairie Hachette) / Ronsard, *Les Amours* (Le Livre de poche) / Verlaine, *Œuvres complètes* (Pléiade) / Voltaire, *Dictionnaire philosophique* (Folio classique).

Achevé d'imprimer
sur les presses de Liberduplex
à Barcelone (Espagne)
en avril 2012

POCKET - 12, avenue d'Italie - 75627 Paris Cedex 13

Dépôt légal : avril 2012
S22015/02